LES DROITS
DE L'HOMME

EMMANUELLE DUVERGER

D1451014

LES ESSENTIELS MILAN

Sommaire

Les mots suivis d'un astérisque (*) sont expliqués dans le glossaire.

LUTTER

pour le respect de nos droits

Malgré les promesses, les grandes déclarations, les traités ratifiés par ceux-là mêmes qui les violent sans vergogne, les droits de l'homme se portent mal. Les excuses invoquées par leurs prédateurs ? La pauvreté, les préceptes religieux, les séquelles du colonialisme, les « spécificités » culturelles : tous les arguments sont bons pour tenter de justifier l'injustifiable. Comme s'il n'existait pas de pays pauvres respectueux de la dignité humaine. Comme si l'invocation du Coran autorisait la lapidation des femmes. Comme si les exactions des uns rendaient moins douloureux le népotisme et la corruption de certains dirigeants du continent noir. Comme si les « valeurs » asiatiques rendaient moins inique le goulag chinois.

Mais qui peut se donner en exemple ? L'Europe, où nazisme et communisme, parfois main dans la main, sont responsables de dizaines de millions de morts ? Les États-Unis, qui continuent d'ignorer superbement le droit international ? Non, bien sûr, même s'il faut être bien ignorant des réalités de ce monde pour renvoyer dos à dos les vieilles démocraties occidentales et les régimes dictatoriaux. Alors, une situation désespérante ? Non, les choses bougent, la justice avance, comme en témoigne la Cour pénale internationale. Non, le pire n'est pas forcément notre futur.

Robert Ménard
Secrétaire général de Reporters sans frontières

Photo du photojournaliste américain James Natchwey prise sur le tournage du documentaire *War Photographer* (2002) du réalisateur suisse Christian Frei. La scène se déroule en Afrique du Sud, lors d'un combat de rue entre partisans de l'ANC et Zoulous de l'IFP au moment des premières élections libres, en 1994.

Les premiers textes

Copie de la stèle d'Hammourabi, roi de Babylone.

Aussi loin que remontent les textes qui tentent d'organiser nos sociétés, tous affirment, avec plus ou moins de précision, la nécessité de défendre les libertés fondamentales*. D'Hammourabi, roi de Babylone, à Thomas Jefferson, comment en est-on arrivé à la fameuse Déclaration des droits de l'homme et du citoyen proclamée lors de la Révolution française...

Le Code d'Hammourabi

Les premiers textes qui consacrent les grandes libertés sont extrêmement anciens. Ainsi, vers 1700 avant Jésus-Christ, Hammourabi, roi de Babylone, élabore un code juridique qu'il fait graver sur une stèle faite d'un énorme bloc de diorite. S'il consacre le principe du talion*, avec quelques adoucissements, c'est surtout le principe d'équité qui prévaut dans les 282 articles qui exerceront une influence considérable dans l'ancien Orient. Plusieurs textes viendront ensuite codifier les usages et coutumes en vigueur dans les différentes parties du monde, qui distinguent bien vite deux conceptions radicalement différentes des rapports entre les gens : le « droit oriental » cherche davantage à prévenir les conflits, tandis que le « droit occidental » cherche à les résoudre.

Thomas Jefferson
Auteur de la Déclaration d'indépendance américaine, il rédige à la même époque un projet prévoyant l'abolition de l'esclavage. Président des États-Unis de 1801 à 1809, il fut remarqué pour son idéalisme humanitaire.

La Magna Carta

En 1215, la Magna Carta (la Grande Charte des libertés) de Jean sans Terre a été rédigée en France par des Anglais émigrés en rébellion contre leur roi. Elle dispose qu'aucun homme libre ne sera arrêté, ni emprisonné, ni

historique   définitions   tour du mon des violation

dépouillé, ni mis hors la loi, ni exilé, ni molesté en aucune manière, et qu'il ne sera mis la main sur lui, si ce n'est en vertu d'un jugement légal et selon la loi de son pays. En signant ce document, le roi d'Angleterre concédait des droits juridiques à ses barons et à son peuple. Pour la première fois, un roi admettait qu'il pouvait être tenu de se conformer à des lois.

La loi au-dessus du roi

En 1628, la « Petition of Rights » (Pétition des droits) réaffirme les droits traditionnels du peuple anglais et de ses représentants. Elle est présentée à Charles Iᵉʳ par le Parlement, qui souhaite lutter contre l'arbitraire du roi. Dans la droite ligne de ce texte, la « Bill of Rights » (Déclaration des droits) de 1689 rappelle dans son article premier que la loi est au-dessus du roi. Cette Déclaration, essentielle dans l'histoire de la Grande-Bretagne, inspirera par la suite les Constitutions de nombreux États américains.

La Déclaration d'indépendance de l'Amérique

Le 4 juillet 1776, la Déclaration d'indépendance américaine est proclamée à Philadelphie. Treize colonies britanniques se réunissent pour constituer un État fédéral. Pour la première fois, un État rejette la théorie médiévale selon laquelle certaines personnes ont un droit de vie et de mort sur d'autres. Cette déclaration, rédigée par Thomas Jefferson (1743-1826), avec le concours de Benjamin Franklin (1706-1790), affirme plusieurs principes généraux : égalité de tous les hommes, droits inaliénables* à la vie, à la liberté et à la poursuite du bonheur. Elle proclame également le principe de gouvernement fondé sur le consentement des gouvernés et rappelle la légitimité de l'insurrection quand les droits fondamentaux sont violés. Treize années plus tard, la Révolution éclate en France et aboutit à l'adoption de la Déclaration des droits de l'homme et du citoyen, qui dépasse les textes britanniques et américains par son caractère universel et devient ainsi un texte de référence.

Extrait de la Déclaration d'indépendance américaine

« Nous tenons pour évidentes pour elles-mêmes les vérités suivantes : tous les hommes sont créés égaux ; ils sont doués par le Créateur de certains droits inaliénables ; parmi ces droits se trouvent la vie, la liberté et la recherche du bonheur... »

Si la Déclaration des droits de l'homme et du citoyen adoptée en 1789 fait de la France la « patrie des droits de l'homme », de nombreux textes, plus anciens, ont permis d'affirmer et de consacrer progressivement les grandes libertés fondamentales qui nous semblent aujourd'hui si évidentes...

La Révolution française et la Déclaration des droits de l'homme

1788 : les risques de famine et les privilèges accordés à la noblesse et au clergé font gronder la révolte au sein du peuple français...

Les prémices de la Révolution

En 1788, la colère monte en France. Les caisses du Trésor sont vides et l'État suspend ses paiements… Pour satisfaire le peuple, le roi consent à doubler le nombre de ses représentants aux états généraux. Dorénavant, pour un représentant du clergé et un de la noblesse, il y aura deux représentants du tiers état*. Le 2 mai 1789, les 1 000 députés des trois ordres arrivent à Versailles. Trois jours plus tard s'ouvrent les états généraux.

Le 17 juin 1789, le tiers état décide par 481 voix contre 119 de se proclamer « Assemblée nationale ». Parmi ses premières mesures, l'Assemblée nationale refuse le droit de légiférer aux deux autres ordres, le clergé et la noblesse, ainsi que le droit de veto au roi. En outre, elle devient seule compétente pour la levée de l'impôt et assure seule la garantie des dettes de l'État.

Le matin du 20 juin 1789, les députés du tiers état sont surpris de trouver fermée la porte de leur salle de réunion, la salle dite des « Menus-Plaisirs ». Soupçonnant le roi de vouloir dissoudre l'Assemblée, ils se réunissent immédiatement dans celle du Jeu de paume. Tous les représentants signent alors un serment par lequel ils jurent de « *ne jamais se séparer et de se rassembler partout où les circonstances l'exigeront, jusqu'à ce que la Constitution du royaume soit établie et affermie* ». C'est le serment du Jeu de paume, qui scelle l'unité de l'Assemblée nationale.

Le drapeau français

Le 17 juillet 1789, Louis XVI est accueilli à Paris par une foule arborant sur la tête une cocarde aux couleurs de la capitale, le bleu et le rouge. On y a inséré le blanc, en signe d'alliance entre le roi et sa ville.

historique   définitions   tour du mon des violatio

La prise de la Bastille

Le 13 juillet 1789, une rumeur se répand à Paris : les troupes royales s'apprêteraient à entrer en force dans la capitale pour mettre les députés aux arrêts. Le lendemain matin, la foule se rend aux Invalides afin de trouver des armes et défendre ses représentants. 28 000 fusils et 20 bouches à feu sont saisis. Le peuple se met alors en marche pour prendre la Bastille : on affirme que de la poudre y aurait été entreposée. En fin d'après-midi, les soldats qui gardent la forteresse se rendent. Un symbole de l'époque médiévale est tombé. L'Assemblée des électeurs de Paris décide sa démolition deux jours plus tard. C'est l'anniversaire de la prise de la Bastille qui deviendra plus tard la fête nationale française.

L'adoption de la Déclaration des droits de l'homme

Dans la nuit du 4 août 1789, les privilèges sont abolis les uns après les autres. L'Ancien Régime a disparu et le principe de l'égalité entre tous les Français est consacré. Du 20 au 26 août 1789, l'Assemblée nationale adopte la Déclaration des droits de l'homme et du citoyen. Les députés ont souhaité offrir au peuple français un texte qui résume ses aspirations et donne un sens à son combat contre l'arbitraire. La Déclaration des droits de l'homme et du citoyen énonce les droits fondamentaux de l'individu sans se prononcer sur la nature du régime politique, ce qui lui permettra de traverser les époques et de figurer encore aujourd'hui en préambule de la Constitution de la V\ :sup:`e` République.

> De la prise de la Bastille à l'abolition des privilèges et à la proclamation des droits fondamentaux inhérents à tout individu, l'été 1789 est riche en symboles pour le peuple français.
> Si la monarchie est toujours debout, ses fondations sont sérieusement ébranlées.

La Marseillaise

En 1792, Rouget de Lisle compose un *Chant de guerre pour l'armée du Rhin*. Repris lors de l'insurrection des Tuileries, le 10 août 1792, son succès est immédiat. Il deviendra l'hymne national le 14 juillet 1795.

L'esclavage hier et aujourd'hui

La pratique de l'esclavage remonte à la nuit des temps. Sous différentes formes, sous diverses appellations, il est présent depuis que l'homme est organisé en société.

« Disons-nous et disons à nos enfants que tant qu'il restera un esclave sur la surface de la terre, l'asservissement de cet homme est une injure permanente faite à la race humaine toute entière. »
Victor Schœlcher

Qu'est-ce que l'esclavage ?

Un esclave est un individu privé de liberté et soumis au bon vouloir d'une personne ou d'un État. Son maître le force à travailler, sans évidemment qu'il soit payé pour son travail. Il est considéré comme un objet et peut être acheté et vendu.

L'Antiquité

En Égypte, en Grèce ou dans la Rome antique, on préférait garder vivants les prisonniers de guerre et en faire des esclaves. Outre les prisonniers de guerre, les étrangers ou tout simplement ceux qui se trouvaient dans l'incapacité de payer leurs dettes devenaient esclaves. Ils étaient bien plus nombreux que leurs maîtres : au IIe siècle, à Rome, on comptait 20 000 citoyens libres pour 400 000 esclaves !

La découverte du Nouveau Monde

Au Moyen âge, l'esclavage continue, principalement sous la forme du servage. Il va s'intensifier au XVIe siècle, puisque la découverte de l'Amérique et la conquête du Nouveau Monde par les Espagnols nécessitent une main-d'œuvre importante. Ces premiers esclaves sont des Indiens d'Amérique, mais, très vite, les Hollandais, les Français, les Portugais, les Espagnols et les Anglais organisent la « traite des Noirs* » : ils vont chercher des centaines de milliers d'esclaves noirs en Afrique et les amènent par bateaux entiers sur le sol américain. En France, en 1685, Colbert publie le « Code noir », qui a pour objet de « régler ce qui concerne l'état et la qualité des esclaves » dans les Caraïbes francophones. Il justifie juridiquement l'esclavage.

Une traite massive

On estime à près de 9 millions le nombre d'esclaves arrivés dans les colonies depuis l'Afrique, sans tenir compte de tous ceux qui ont péri sur la route du Nouveau Monde, tant les conditions de transport étaient épouvantables.

historique   définitions   tour du monde des violations

L'abolition de l'esclavage

En 1787, la « Société pour l'abolition du commerce des esclaves » est fondée à Londres. L'année suivante, c'est la « Société des amis des Noirs » qui voit le jour à Paris. Elle compte parmi ses membres l'abbé Grégoire, Condorcet et Mirabeau. Parallèlement, les révoltes d'esclaves se multi-

plient. Le 14 août 1791, des esclaves de Saint-Domingue se soulèvent au Bois-Caïman, à l'appel de Toussaint Louverture. La fin du XVIIIe siècle et le début du XIXe voient la résistance à l'oppresseur s'organiser. En France, si un premier décret abolit l'esclavage en 1794, il est rétabli en 1802 par Napoléon Bonaparte. Ce sera finalement Victor Schœlcher (1804-1893), député français de Guadeloupe et de Martinique, qui fera adopter, le 27 avril 1848, le décret sur l'abolition de l'esclavage. Aux États-Unis, le président Abraham Lincoln proclame la fin de l'esclavage le 1er janvier 1863. Trois millions d'esclaves sont alors libérés et deviennent citoyens américains à part entière.

Toussaint Louverture

Ancien esclave, il chassa les Anglais de Saint-Domingue, dont il assura le gouvernement général à partir de 1798. Arrêté en 1802 par les hommes de Bonaparte, il fut emprisonné en France, où il mourut en 1803.

L'esclavage aujourd'hui

L'esclavage est de nos jours officiellement aboli. Mais la traite des Noirs est toujours fréquemment rappelée et reprochée aux dirigeants occidentaux et utilisée comme aiguillon de nos mauvaises consciences. Ce qui est pour le moins paradoxal, puisque l'esclavage, déjà pratiqué avant même l'arrivée des premiers explorateurs, reste très fréquent dans certaines sociétés.

Des formes « classiques » d'esclavage persistent toujours au Soudan, au Niger ou en Mauritanie. D'autres pays d'Afrique pratiquent également l'esclavage domestique, sous prétexte de « solidarité familiale »… On le trouve encore dans certains pays occidentaux, où des immigrés clandestins fournissent le plus souvent une main-d'œuvre bon marché.

Malgré son abolition officielle, l'esclavage existe encore de nos jours dans certaines sociétés. Si son ampleur est moindre, il continue de faire des victimes, du fait de mauvais traitements, partout où il sévit.

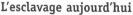

L'affaire Dreyfus

Quel n'est pas l'étonnement du capitaine Dreyfus quand le ministre de la Guerre en personne lui annonce qu'il est accusé de trahison ! Retour sur l'erreur judiciaire la plus célèbre de l'histoire de France...

Dreyfus accusé de « haute trahison »

Le lundi 15 octobre 1894, le capitaine Alfred Dreyfus, attaché au 2e Bureau, qui s'occupe des renseignements militaires, est convoqué au ministère de la Guerre. Le ministre en personne lui annonce qu'il est accusé de haute trahison au profit de l'Allemagne. Malgré ses protestations, Dreyfus est immédiatement arrêté et emprisonné. Deux mois plus tard, il est condamné à la déportation à vie et envoyé sur l'île du Diable, au large de la Guyane. Pourquoi cette accusation de « haute trahison » ? En septembre, la femme de ménage de l'ambassade d'Allemagne, agent de renseignements pour la France, découvre dans la corbeille à papiers de l'attaché militaire un bordereau dont l'écriture ressemble à celle du capitaine Dreyfus, mais aussi à celle du commandant Esterhazy. Ce dernier est d'origine hongroise, et a de graves problèmes d'argent. Cependant, c'est sur Dreyfus que se portent immédiatement les soupçons, car il est juif.

Rebondissement

En 1896, le lieutenant-colonel Picquart, nouveau chef du 2e Bureau, découvre un échange de correspondance entre l'attaché militaire allemand et le commandant Esterhazy. Pour lui, le doute n'est plus permis : Dreyfus est innocent et a été condamné par erreur. Il en informe aussitôt sa hiérarchie, qui le limoge immédiatement. L'officier Picquart rend alors l'affaire publique, forçant ainsi ses supérieurs à ouvrir une enquête, malheureusement de pure forme puisqu'elle conclut à l'innocence d'Esterhazy, acquitté le 11 janvier 1898.

J'accuse !
d'Émile Zola

Le 13 janvier 1898, le journal *L'Aurore* publie en une le célèbre *J'accuse !* d'Émile Zola. L'écrivain met en cause nommément tous ceux qu'il estime responsables de cette mascarade de procès. Il sera condamné pour diffamation à un an de prison et préférera alors l'exil pour l'Angleterre.

Le procès qui divise la France

C'est la goutte d'eau qui fait déborder le vase. L'affaire Dreyfus prend des proportions incroyables : la France est coupée en deux. Les avocats de Dreyfus réclament un procès en révision, et finissent par l'obtenir. Il se tiendra à Rennes, ville de garnison militaire, et donc jugée plus sûre par les autorités. Ramené pour l'occasion de Guyane, Dreyfus va affronter ses juges durant cinq semaines. Le 14 août, un de ses avocats, maître Labori, est touché par un coup de feu. Il reprendra sa place auprès de son client une semaine plus tard. Le 9 septembre 1899, le verdict tombe, dans un silence écrasant : Dreyfus est une nouvelle fois jugé coupable. Il bénéficie cependant de « circonstances atténuantes » et se voit condamné à dix ans de prison par cinq voix contre deux.

Dreyfus réhabilité

Le jugement provoque une telle émotion en France et à l'étranger que le président de la République de l'époque, Émile Loubet, qui craint un boycott massif de l'exposition universelle de 1900, accorde sa grâce* à Dreyfus. Mais gracié ne veut pas dire innocenté… Il faudra attendre le 12 juillet 1906 pour que la Cour de cassation annule le jugement et rende son honneur et son grade de capitaine à Alfred Dreyfus. Mort en 1935, il a aujourd'hui sa statue dans le jardin des Tuileries, à Paris. Elle devait initialement être dressée dans la cour d'honneur des Invalides, mais l'armée, qui a la rancune tenace, n'en a pas voulu…

Alfred Dreyfus a été condamné deux fois pour trahison, uniquement parce qu'il était juif et faisait en cela un coupable idéal… Il a finalement été réhabilité au bout de douze années durant lesquelles il n'a cessé de clamer son innocence.

La Shoah

On estime que la ségrégation raciale mise en place par Adolf Hitler a causé plus de 5 millions de victimes, juives pour la plupart. Présentation des principales étapes ayant mené à l'Holocauste...

La montée du nazisme

Le nazisme, inventé, théorisé et conduit par Adolf Hitler, se fonde notamment sur le principe de l'inégalité des races. Pour Adolf Hitler, il existe une race « supérieure », celle des Aryens. La préservation de la pureté raciale devient donc une nécessité. C'est de cette exigence que découle directement son combat contre les juifs, chargés de tous les maux et qualifiés de « mal absolu ». Mais l'idéologie hitlérienne n'a pas surgi de nulle part. Dès 1880, des violences antisémites ont lieu en Allemagne, qui ne font que s'accentuer jusqu'à la Première Guerre mondiale. De 1887 à 1914, le nombre des députés antisémites élus au Reichstag augmente aussi considérablement.

Le début de la terreur

Adolf Hitler est désigné comme chancelier le 30 janvier 1933. Il commence immédiatement à mettre en œuvre son programme politique. Une véritable dictature s'instaure progressivement. Le préfet de police de Munich met en place à Dachau, dès le 20 mars 1933, le premier camp de concentration, qui regroupe 5 000 prisonniers politiques. Au mois d'avril, ce sont les premières lois aryennes qui sont introduites. Les juifs sont progressivement chassés de la fonction publique, des professions libérales, de l'armée, de la justice et de la presse. En tout, plus de 400 décrets antijuifs seront édictés. Mais ces mesures de ségrégation* ne suffisent pas au régime d'Adolf Hitler. Dans la nuit du 9 au 10 novembre 1938, la « Nuit de cristal », une gigantesque opération menée par Goebbels, marque le point de non-retour : plus de 7 000 maga-

Les négationnistes

Se présentant le plus souvent comme des historiens, les négationnistes récusent l'existence des chambres à gaz et parfois même la Shoah. Ils minimisent ainsi systématiquement les chiffres des victimes nazies et banalisent leur souffrance.

historique | définitions | tour du mon des violatior

sins appartenant à des juifs sont pillés, les vitrines cassées, des synagogues sont incendiées et des milliers de personnes agressées. Des centaines de juifs sont envoyés en camps de concentration… C'est le début de la Shoah*.

La solution finale

Avec le début de la guerre, le 1er septembre 1939, les violences antijuives s'accentuent encore. La conquête de la Pologne, où vivent plus de 2 millions de juifs, ne fait qu'« aggraver » l'ampleur du phénomène pour l'Allemagne. A la fin de l'automne 1939, les déportations massives commencent, dans des conditions d'extrême brutalité. L'établissement des ghettos* devient une politique systématique.

Au printemps 1942, on assiste à la déportation systématique des juifs de toute l'Europe vers des camps d'extermination installés à l'Est, dont l'unique finalité est de tuer à grande échelle ces « êtres biologiquement inférieurs ».

C'est dans ces camps que sont utilisées les chambres à gaz. Les historiens estiment que les trois quarts des déportés sont gazés dès leur arrivée. Les autres sont affectés au travail forcé. Une infime minorité en reviendra.

Le bilan du génocide*

Plus de 5 millions de juifs seront victimes de l'idéologie raciste d'Adolf Hitler. Après la guerre, 21 des principaux criminels nazis ont dû répondre de leurs actes devant le tribunal de Nuremberg. Leur procès s'est déroulé entre le 18 octobre 1945 et le 1er octobre 1946. Dix ont été condamnés à mort. C'est devant ce tribunal qu'est invoquée pour la première fois la notion de « crimes contre l'humanité* ».

L'arrivée au pouvoir d'Adolf Hitler lui a permis de mettre en œuvre une politique de purification ethnique en Allemagne et dans le reste de l'Europe tombée sous son contrôle. Sa politique d'élimination des juifs a fait plus de 5 millions de victimes, sans compter les opposants politiques au régime d'Hitler, les handicapés mentaux ou physiques, les homosexuels et les Tsiganes.

Le communisme et ses dérives

Si l'on évoque toujours avec horreur les atrocités du nazisme, celles commises au nom du communisme n'ont rien à leur envier...

Le communisme, une idéologie ancienne

Le communisme est à la fois une idéologie et un mouvement politique qui préconisent la mise en commun des moyens de production.

Au fil des siècles, de Platon à Gracchus Babeuf au moment de la Révolution française, en passant par l'Anglais Thomas More au XVIᵉ siècle, nombreux sont ceux qui développent l'idée d'un état social harmonieux et préconisent le communisme comme une orientation souhaitable pour les sociétés modernes.

Mais c'est à partir de 1844 que l'idée du communisme est reprise et développée par le philosophe allemand Karl Marx et son ami Friedrich Engels. Leur doctrine est publiée en 1848 dans le *Manifeste du parti communiste* et, en 1864, ils participent à la création de l'Association internationale des travailleurs, appelée aussi Iʳᵉ Internationale, qui est censée réunir tous les révolutionnaires.

La révolution d'Octobre

La Première Guerre mondiale crée une situation particulièrement confuse qui provoque en Russie, au début du mois de mars 1917, d'importantes émeutes. Profitant du chaos, le 25 octobre 1917, les bolcheviks initient une révolte à Petrograd et renversent la jeune démocratie qui vient tout juste de se mettre en place. Lénine prend la tête de l'État le 6 novembre 1917. La révolution d'Octobre marque la prise du pouvoir par les bolcheviks dans l'une des plus grandes puissances européennes.

Le goulag

Le 7 avril 1930, Staline instaure le goulag*, qui signifie « direction principale des camps de rééducation par le travail ». Dix à quinze millions de Soviétiques y seront envoyés et le plus souvent affectés aux gigantesques chantiers initiés par le Kremlin*.

historique   définitions   tour du monde des violation

Un régime de terreur

Pour se maintenir au pouvoir, les bolcheviks recourent à une violence inouïe et bâtissent très rapidement un État policier. Le 19 décembre 1917, ils créent la Tcheka, une police secrète chargée de la répression de toute manifestation d'hostilité à l'égard du régime. L'instauration du Parti-État en 1918 leur permet de concentrer dans leurs mains tous les pouvoirs. Seule la hiérarchie du Parti est habilitée à prendre des décisions. En 1924, Staline en prend la direction. L'ancienne Tcheka, devenue KGB, constitue son principal instrument d'intimidation. Pour instaurer la « dictature du prolétariat », le régime communiste n'hésitera pas à légitimer le meurtre de masse, à déporter des peuples, à affamer des régions entières. L'endoctrinement des jeunes, la propagande à l'école ou à l'université, le culte de la personnalité, la suppression des libertés individuelles, la traque systématique des opposants, la répression aveugle seront les méthodes de gouvernement sous l'ère communiste. Le communisme deviendra l'autre grand système totalitaire du XXᵉ siècle.

Les procès de Moscou
Point d'orgue des grandes purges, les procès staliniens tenus entre 1936 et 1938 voient des chefs historiques de la révolution avouer des crimes imaginaires avant d'être déportés ou fusillés.

Une volonté expansionniste

Le communisme a des visées « universelles ». À la suite de la Seconde Guerre mondiale, plusieurs pays d'Europe passés sous le contrôle de l'Armée rouge deviennent communistes. Quelques années plus tard, les communistes arrivent au pouvoir en Chine grâce à Mao Zedong. En 1959, c'est Fidel Castro qui mène la révolution à Cuba. Ailleurs encore, le drapeau rouge s'impose.

La chute du communisme

À la fin des années 1980, les régimes communistes de l'Europe de l'Est s'effondrent à la suite, notamment, de soulèvements populaires. Le symbole de la fin du communisme en Europe reste la chute du mur de Berlin en 1989. Aujourd'hui, seuls la Chine, le Vietnam, le Laos, Cuba et la Corée du Nord se réclament encore du communisme.

Idéologie généreuse, le communisme s'est révélé désastreux dans ses applications, causant la mort de plus de 80 millions de personnes dans le monde depuis 1917.

La Déclaration universelle des droits de l'homme

Encore sous le choc des dizaines de millions de morts de la Seconde Guerre mondiale, les principaux États de la planète élaborent la Déclaration universelle des droits de l'homme.

René Cassin (1887-1976) : « L'homme ne peut pas exercer ses droits contre les droits d'autrui. » Résistant, éminent juriste, il se verra décerner le prix Nobel de la paix en 1968. Après sa mort, en 1976, ses cendres seront transférées au Panthéon en 1987.

Une lente prise de conscience...

Au lendemain de la Première Guerre mondiale, et dans la perspective de construire la paix, la Société des Nations* voit le jour à Genève en 1919. Sa création s'était accompagnée de la proclamation du droit des minorités nationales ainsi que de certaines règles de protection sociale. Mais les esprits ne sont pas encore prêts pour une déclaration proclamant l'ensemble des libertés et des droits.

Il faudra attendre la Seconde Guerre mondiale et les horreurs qu'elle a engendrées pour voir apparaître quelques tentatives plus complètes. Ainsi la « Déclaration des Nations unies » du 1er décembre 1942, qui affirme qu'une « *victoire complète* » sur l'Allemagne et le Japon est nécessaire « pour conserver les droits humains et la justice… ».

De même, le 7 octobre 1944, la déclaration de la conférence de Dumbarton Oaks affirme que « *le respect des droits de l'homme et des libertés fondamentales* » est lié au retour de la paix.

Les Nations unies et les droits de l'homme

Le 26 juin 1945, la conférence de San Francisco adopte la Charte des Nations unies, qui contient plusieurs références aux droits de l'homme. Elle proclame la foi des Nations unies « *dans les droits fondamentaux de l'homme, dans la dignité et la valeur de la personne humaine, dans l'égalité des*

historique   définitions   tour du mond des violation

droits des hommes et des femmes » et s'engage à favoriser « *le respect universel et effectif des droits de l'homme et des libertés fondamentales pour tous, sans distinction de race, de sexe, de langue ou de religion* ».

Au début de l'année 1946, les Nations unies créent une Commission des droits de l'homme chargée d'élaborer une « *déclaration internationale des droits de l'homme* ». Un comité de rédaction composé de représentants de huit États, présidé par Mme Eleanor Roosevelt et comprenant notamment le Français René Cassin, le Chinois Peng-Chun Chang et le Libanais Charles Malik, se met au travail.

Les droits proclamés dans la Déclaration

La rédaction de la Déclaration va durer deux années. Elle se présente comme « *l'idéal commun à atteindre par tous les peuples et toutes les nations* ». Malgré leurs divergences de vues sur certains points, les membres du comité de rédaction parviendront à mettre au point une Déclaration universelle dans laquelle figurent les droits civils et politiques directement inspirés de la Déclaration des droits de l'homme et du citoyen française de 1789. Ils y introduisent également les droits économiques, sociaux et culturels. Leur proportion réduite par rapport aux premiers (cinq sur trente) entraînera d'ailleurs l'abstention, lors du vote, de l'Union soviétique et de ses alliés.

L'adoption au palais de Chaillot

La Déclaration universelle des droits de l'homme est adoptée par l'Assemblée générale des Nations unies le 10 décembre 1948 à Paris. Quarante-huit États ont voté pour et huit se sont abstenus. Le même jour, la Commission des droits de l'homme* se voit chargée d'élaborer un projet de pacte relatif aux droits de l'homme, traduction plus concrète de la Déclaration, ainsi que ses modalités de mise en œuvre. Deux pactes internationaux et plus tard leurs protocoles verront le jour en 1966. L'ensemble de ces textes et la Déclaration universelle forment la Charte internationale des droits de l'homme.

La Déclaration universelle est-elle obligatoire ?

La Déclaration universelle n'a pas de force obligatoire. Cependant, sa portée symbolique est grande du fait de son caractère universel : c'est le premier texte relatif aux libertés fondamentales qui soit commun à tous les peuples de la terre.

C'est après avoir découvert les atrocités commises par l'Allemagne nazie que les alliés ont ressenti le besoin de réaffirmer les droits et les libertés fondamentales* de tous les hommes. De cette idée est née la Déclaration universelle des droits de l'homme.

Les guerres de libération nationale

La colonisation a fait la splendeur des grands empires occidentaux. Mais les mouvements de rébellion et d'indépendance marqueront profondément la vie politique intérieure des pays colonisateurs comme celle des pays colonisés...

La guerre d'Algérie

1954 marque le début d'une guerre terrible en Algérie. Les Français auront recours à la torture et à la déportation dans des camps, en réponse notamment aux attentats terroristes des fellaghas*. Les accords d'Évian marqueront finalement l'indépendance de l'Algérie en 1962.

Origines

La première décolonisation* fut celle des treize colonies britanniques, de la colonie française de Saint-Domingue et de la quasi-totalité des colonies espagnoles, qui deviennent indépendantes à partir de 1775. Elle concernait uniquement l'Amérique et émancipait surtout des immigrés venus d'Europe. Le mouvement se poursuit après la Seconde Guerre mondiale, mais cette fois sur tous les continents. Il prend alors souvent la forme d'affrontements entre populations locales et puissances occidentales.

L'éclatement des mouvements de libération

La Seconde Guerre mondiale a donné un coup d'accélérateur à la volonté des colonies des pays en conflit d'accéder à l'indépendance. La défaite de la France en 1940 a notamment fait prendre conscience aux territoires sous son contrôle que le colonisateur était loin d'être invincible... Dès le lendemain de la Seconde Guerre mondiale, les États-Unis et l'URSS, pour des raisons différentes, soutiennent les revendications indépendantistes.

Guerre d'Algérie, photo de 1960.

La fin des empires coloniaux européens

C'est la Grande-Bretagne qui tire la première les conclusions des nouveaux rapports de force issus de la Seconde Guerre mondiale et qui, peu à peu, accorde l'indépendance à ses anciennes colonies. La France connaît

historique   définitions   tour du monde des violations

davantage de difficultés. Entre 1945 et 1962, si les colonies françaises d'Afrique et d'Asie accèdent les unes après les autres à l'indépendance, l'Indochine et l'Algérie sont le théâtre de conflits particulièrement meurtriers puisqu'on comptera entre 800 000 et 2 millions de morts au terme de la guerre d'Indochine et près d'un million en Algérie. La décolonisation des territoires sous domination portugaise aura lieu encore plus tard, vers le milieu des années 1970, aux lendemains de la « Révolution des œillets ».

Le colonialisme responsable de tous les maux ?

Si personne ne peut nier les méfaits de la colonisation – des pillages organisés aux exactions imposées au nom de la « civilisation » –, elle n'a fait, dans la plupart des cas, que mettre entre parenthèses des conflits séculaires, qui se sont réactivés une fois le colonisateur parti.

Mais trop souvent, le colonialisme a bon dos : ainsi, la principale cause du sous-développement qui accable aujourd'hui encore l'Afrique serait, si l'on en croit certains de ses dirigeants, à rechercher dans la mise sous tutelle imposée par l'Occident. Un argument qui a l'avantage de les dédouaner de leurs propres responsabilités dans la corruption et le népotisme* qui règnent dans bon nombre de pays. Un courant d'intellectuels africains est né cependant, qui pousse leur continent à aller de l'avant et cesser de s'abriter derrière de mauvais prétextes pour justifier la gestion incertaine de leur pays.

Le néocolonialisme

La décolonisation acquise, les anciens colonisateurs, moins directement concernés par la vie politique de ces nouveaux États – même si les interventions armées de la France, notamment en Afrique, témoignent des limites de ces « indépendances » –, vont garder ainsi le contrôle des productions de pétrole, de caoutchouc, de cuivre, de coton, de café, de cacao ou de thé… C'est ce qu'on appelle le néocolonialisme, d'ordre essentiellement économique et financier.

Gandhi et l'indépendance de l'Inde

Gandhi (1869-1948) a grandement contribué à la libération de l'Inde par une révolution sans violence. Il est mort assassiné par un fanatique hindou une année après l'indépendance de son pays.

La Seconde Guerre mondiale et le nouvel ordre mondial qu'elle instaure poussent les mouvements nationalistes des États sous tutelle occidentale à revendiquer leur indépendance. Le mouvement de décolonisation ne sera pas toujours facile…

Une fin de siècle dramatique

On a longtemps pensé que la Seconde Guerre mondiale avait marqué la fin des conflits sur le Vieux Continent. La guerre dans l'ex-Yougoslavie va sonner la fin des illusions...

Ex-Yougoslavie : un conflit à nos portes !

La proximité des combats en ex-Yougoslavie donne d'un coup plus de relief à un conflit complexe et difficile à appréhender. Été 1991 : c'est le début d'une guerre ouverte entre la Slovénie et la Croatie, qui viennent de proclamer leur indépendance, et Slobodan Milosevic, le maître de la Serbie. Le conflit se propage et, début février 1992, gagne la Bosnie-Herzégovine. Les horreurs se multiplient : déportation des populations non serbes dans des wagons à bestiaux, destruction des villes et des villages, viols systématiques, « nettoyage ethnique »… Le siège de Sarajevo et l'abandon par les forces onusiennes de l'enclave de Srebrenica en juillet 1995 susciteront une vive émotion et amèneront l'Europe à demander une intervention militaire américaine, dans le cadre de l'OTAN*. Les accords de Dayton (États-Unis), conclus en décembre 1995, marqueront le début d'une période de paix relative dans la région. Mais, dès 1998, c'est la rechute, avec les affrontements au Kosovo.

Les conflits en Afrique

En avril 1994, l'Afrique apparaît à son tour sur le devant de la scène internationale avec le génocide au Rwanda. En trois mois, on estime entre 500 000 et 800 000 le nombre de personnes assassinées, appartenant principalement à l'ethnie tutsie, mais également aux Hutus modérés. Femmes et enfants ne seront pas épargnés.

D'autres conflits vont émailler les dernières années du XXᵉ siècle en Afrique : le Liberia à partir de fin 1989, la Sierra Leone en 1991, la reprise des combats en Angola en 1992, le Soudan, la Somalie et, depuis 1996, la République démocratique du Congo. L'Afrique du Nord n'est pas en reste, avec la « sale guerre » en Algérie, qui a causé depuis le printemps 1992 plus de 100 000 morts et au moins 7 000 disparitions.

En Tchétchénie et ailleurs...

Depuis le 11 décembre 1994, une guerre ravage la Tchétchénie, théâtre d'opérations d'une brutalité inouïe de la part de l'armée russe. Des centaines de milliers de personnes ont trouvé refuge dans les Républiques voisines. En août 1996, une paix précaire est instaurée, donnant à la Tchétchénie davantage d'autonomie, mais le conflit et son cortège de violations des droits de l'homme reprendront en 1999. D'autres massacres, d'autres tueries ont émaillé cette fin de siècle, au Timor oriental, au Cambodge, en Afghanistan, etc. Enfin, il faut mentionner le conflit israélo-palestinien, toujours plus meurtrier depuis le lancement de la deuxième Intifada* en septembre 2000. La question du « droit au retour » des réfugiés palestiniens, la présence des colons israéliens et le statut de Jérusalem restent des dossiers extrêmement sensibles sur lesquels aucun accord n'a jusqu'à présent été trouvé.

Alors que le « plus jamais ça » était de rigueur au lendemain de la découverte de l'Holocauste , la fin du XXᵉ siècle a été marquée par la multiplication de conflits toujours plus sanglants un peu partout dans le monde.

Les tribunaux internationaux

Face aux atrocités commises en ex-Yougoslavie et au Rwanda, l'ONU a mis en place deux tribunaux internationaux chargés de poursuivre et juger les auteurs des violations des droits de l'homme les plus graves perpétrées dans ces deux pays.

Droits civils et politiques

Traditionnellement, les droits civils et politiques sont considérés comme les plus « nobles ».
Ils sont protégés par un Pacte adopté par les Nations unies en 1966. Contrairement à la Déclaration universelle des droits de l'homme, ce Pacte engage les États qui acceptent de le ratifier.

Des droits garantis en toutes circonstances

Le Pacte international relatif aux droits civils et politiques prévoit, dans son article 4, la possibilité pour les États de restreindre momentanément l'exercice de certaines libertés dans le cas où un danger public exceptionnel menacerait l'existence de la nation. A contrario, aucune dérogation ou restriction n'est permise, notamment pour le droit à la vie, l'interdiction de la torture, l'interdiction de l'esclavage et la liberté de conscience et de religion.

Les autres libertés

Si certaines libertés peuvent donc être restreintes, elles doivent l'être dans le respect de règles très strictes. Les États doivent par exemple veiller à ce que les dérogations mises en place n'entraînent pas de discriminations fondées sur la race, la couleur, le sexe, la langue, la religion ou l'origine sociale. Ils sont en outre tenus de signaler aux Nations unies les dispositions auxquelles ils ont dérogé ainsi que les motifs qui ont provoqué cette décision. Les États peuvent ainsi limiter le droit à la liberté et à la sécurité des individus, leur droit d'aller et venir librement, le droit à un procès équitable, le droit à la vie privée ou encore le droit à la liberté d'expression. Ces dérogations sont graves et malheureusement parfois invoquées de façon abusive par des régimes peu scrupuleux des droits de leur population.

Les États ignorants des droits civils et politiques

L'Arabie Saoudite, le Qatar, les Émirats arabes unis, le Pakistan, Cuba ou la Chine n'ont toujours pas ratifié le Pacte international relatif aux droits civils et politiques.

historique   définitions   tour du monde des violations

Les conditions de mise en œuvre du Pacte

L'article 28 du Pacte prévoit la création d'un Comité des droits de l'homme composé de dix-huit experts indépendants. Il peut recevoir des communications d'un État qui a ratifié le Pacte sur les manquements d'un autre État également tenu par le texte. Pour cela, les États doivent accepter la compétence du Comité de manière explicite. Le Pacte confère au Comité une mission de contrôle : celui-ci reçoit et étudie les rapports des États sur les mesures qu'ils ont prises conformément à leurs engagements et peut leur adresser des observations. Ces recommandations n'ont pas de valeur contraignante, mais certains États considèrent que le simple fait de se faire ainsi « épingler » les discrédite sur la scène internationale. Ce fut le cas notamment de l'Algérie, qui a contesté avec vigueur les conclusions du Comité en 1998. Celui-ci préconisait l'établissement d'une commission d'enquête sur les responsabilités de l'armée algérienne dans certains massacres.

Les protocoles facultatifs

Un protocole facultatif se rapportant au Pacte international relatif aux droits civils et politiques, adopté le même jour – le 16 décembre 1966 –, est entré en vigueur le 23 mars 1976. Il prévoit un mécanisme international pour donner suite aux plaintes de particuliers qui prétendent être victimes d'une violation des droits énoncés dans le Pacte. Un deuxième protocole facultatif adopté par l'Assemblée générale le 15 décembre 1989 est entré en vigueur le 11 juillet 1991. Il vise à abolir la peine de mort.

> ### Les réserves des États-Unis
> Les États-Unis ont ratifié le Pacte en 1992, mais en précisant qu'ils s'octroyaient le droit de continuer à prononcer la peine de mort, y compris à l'encontre de mineurs de moins de 18 ans.

Traditionnellement considérés comme les plus importants, les droits civils et politiques sont fréquemment mis à mal sur notre planète. Le Pacte censé les garantir offre en outre aux États la possibilité de les mettre entre parenthèses quand les circonstances le justifient...

Droits économiques et sociaux

L'apparition des droits économiques et sociaux date du milieu du XIXe siècle. Mais ce n'est qu'après la Seconde Guerre mondiale qu'ils seront reconnus comme des droits à part entière.

Un village au Kenya : une femme du village apprend la lecture aux autres.
L'accès à l'éducation est le nouveau défi des droits économiques et sociaux.

L'accroissement des inégalités

Selon la Banque mondiale, le revenu moyen des 20 pays les plus riches est aujourd'hui 37 fois plus élevé que celui des 20 pays les plus pauvres.

Un nouveau défi

Plus d'un milliard de personnes dans le monde vivent dans des conditions de pauvreté extrême. Le plus souvent, elles n'ont pas d'abri, souffrent de la faim, n'ont pas accès aux soins ni à l'éducation et sont touchées par le chômage. Plus d'un milliard et demi de personnes n'ont pas accès à l'eau potable et vivent dans des conditions insalubres. Selon l'Unesco, plus de 500 000 enfants dans le monde ne bénéficient pas de l'éducation, même au niveau primaire, et plus d'un milliard d'adultes ne savent ni lire ni écrire. C'est ce constat qui justifie la nécessité d'une protection spécifique des droits économiques et sociaux. Cette protection a le plus souvent valeur de « programme », d'idéal à atteindre, tant certains États sont loin d'avoir les moyens de la mettre en œuvre. Ces droits posent aujourd'hui des défis parmi les plus complexes auxquels la communauté internationale est confrontée.

Un nouveau Pacte pour de nouveaux droits

La consécration des deux grandes catégories de droits dans deux Pactes distincts adoptés par les Nations unies est le reflet des débats idéologiques

historique | définitions | tour du monde des violations

de l'époque de la guerre froide. Les États occidentaux faisaient la promotion des droits civils et politiques alors que les pays d'obédience communiste souhaitaient voir la consécration des droits économiques et sociaux, une manière pour ces derniers de faire l'impasse sur l'absence totale de liberté sous leur régime. Depuis l'entrée en vigueur du Pacte international relatif aux droits économiques, sociaux et culturels, le 3 janvier 1975, il est fait obligation aux États qui l'ont ratifié de favoriser le bien-être général de leurs habitants. Le Pacte précise en outre le droit de toute personne au travail et à la formation, celui d'exercer une activité syndicale, le droit à la sécurité sociale, à la santé et à l'éducation. Les trois quarts des États de la planète ont aujourd'hui adhéré à ce traité. La plupart d'entre eux n'arrivent toujours pas, loin s'en faut, à assumer les obligations qui en découlent...

José Bové

Fer de lance du mouvement « antimondialisation » en France, ce paysan du Larzac, dans l'Aveyron, consacre l'essentiel de son combat à la lutte contre les OGM (organismes génétiquement modifiés) et la « mal-bouffe ».

La mondialisation : le nouveau diable...

Si pour ses partisans la mondialisation* est inévitable et sera forcément profitable à l'ensemble de la planète, pour ses détracteurs, en revanche, elle devrait être contrôlée, sous peine de ne profiter qu'aux plus puissants. La question de savoir si elle accentue les inégalités ou au contraire ne fait que dévoiler et mettre l'accent sur des modes de gestion inadéquats reste posée. Reste qu'ici encore la mondialisation constitue souvent un coupable idéal face à l'accroissement des inégalités dans le monde. Au Congo, par exemple, les autorités dénoncent les conditions drastiques imposées par la Banque mondiale pour accéder aux aides réservées aux PPTE (pays pauvres très endettés), alors que les ressources pétrolières immenses de ce pays n'ont jamais profité à la population, mais plutôt aux dirigeants successifs du pays ou aux compagnies occidentales en charge de leur exploitation.

Même s'ils sont formellement consacrés par la majorité des États, les droits économiques et sociaux restent encore théoriques pour une grande partie de la population mondiale.

Les nouveaux droits de l'homme

Derrière l'appellation « nouveaux droits de l'homme », tout le monde ne met pas le même contenu. Si pour certains il s'agit de tout ce qui touche à la solidarité, pour d'autres ils sont davantage liés aux questions posées par les avancées des sciences et des techniques.

Le droit à l'eau

Droit de la troisième génération, l'accès à l'eau est primordial. Il est la condition préalable à la réalisation de nombreux autres droits.
L'ONU a proclamé 2003 « année internationale de l'eau douce ».

Les droits de solidarité

Ils sont également connus sous le terme « droits collectifs », par opposition aux droits individuels que sont les droits civils, politiques, économiques ou sociaux, dont l'exercice reste du ressort de chaque personne. Parmi les droits de solidarité, que certains ont baptisés « droits de la troisième génération », on peut citer le droit des peuples à disposer d'eux-mêmes et son corollaire direct, le droit au développement. Le droit à la paix ainsi que le droit à l'environnement font également partie des droits de solidarité. Le droit de vivre dans un environnement sain et préservé devrait d'ailleurs encore s'étoffer dans les années à venir et représenter l'une des préoccupations majeures des sociétés pour lesquelles les droits des deux premières générations sont acquis.

Les droits liés à l'avancée des sciences et des techniques

Ils concernent principalement deux domaines, qui sont d'une part les nouvelles technologies de la communication et d'autre part les progrès fantastiques auxquels on a pu assister dans le domaine de la biologie ou de la médecine ces vingt dernières années. On les appelle aussi les droits de la « quatrième génération » pour les distinguer des droits de solidarité. Dans le domaine de la communication, il s'agit bien

historique   définitions   tour du monde des violation

évidemment et principalement d'Internet, qui constitue une véritable révolution en matière de transmission d'informations. Le Réseau offre en effet un accès plus facile et bien plus rapide à une grande somme d'informations que les moyens traditionnels de communication. Pourtant, Internet n'étant soumis à aucun contrôle, on y trouve des informations sérieuses, mais aussi d'autres qui sont farfelues, fausses et même dangereuses. On ne compte plus par exemple les sites pornographiques, pédophiles, racistes ou révisionnistes. Faut-il donc mettre de l'ordre sur le Réseau ? Pour certains, même s'ils ne contestent pas ses excès, Internet reste un instrument de liberté qui permet de mieux faire circuler l'information et de combattre la censure. Pour d'autres, au contraire, il devient nécessaire de le contrôler et d'inventer des systèmes de protection des droits des individus à un niveau mondial ! Dans ce domaine, tout reste à imaginer !

Le clonage

En France, le Sénat s'est prononcé le 30 janvier 2003 pour l'interdiction du clonage thérapeutique, après avoir déjà interdit le clonage reproductif, qualifié de « crime contre l'espèce humaine » et passible de trente ans de réclusion criminelle.

Du clonage à l'euthanasie

Les avancées spectaculaires de la génétique et de la biologie au cours de ces dernières années peuvent mettre en danger, toujours selon certains, les droits fondamentaux de l'individu. Manipulations génétiques, procréation médicalement assistée, euthanasie, clonage* thérapeutique ou reproductif sont autant de possibilités nouvelles qui remettent en question les conceptions mêmes que nous avions de l'être humain. Des pays comme la France ont choisi d'encadrer de façon stricte ces avancées scientifiques au nom de la dignité humaine. Ce choix est contesté par ceux qui craignent ainsi de limiter le progrès médical et le droit à la recherche scientifique.

Les droits de la troisième et de la quatrième génération font appel à des concepts juridiques le plus souvent en cours d'élaboration. Leur constante évolution remet en question la possibilité de définir « une fois pour toutes » les droits de l'homme.

La peine de mort

Quels États pratiquent encore la peine de mort ? Quels sont les arguments pour ou contre ? Est-elle réellement efficace, comme l'affirment ses partisans ?

Les pays abolitionnistes

Plus de la moitié des pays du monde ont aboli la peine de mort, en droit ou en pratique. Dans la plupart de ces pays, l'interdiction de recourir à la peine de mort est inscrite dans la loi ou dans la Constitution. Pour d'autres, la peine capitale existe toujours formellement, mais les États ne la pratiquent plus depuis au moins dix années. L'évolution globale va dans le sens de son abolition. Il est extrêmement rare que des États qui ont supprimé la peine capitale de leur arsenal législatif reviennent en arrière et décident de la rétablir. Aujourd'hui, les États qui la pratiquent le plus sont la Chine, l'Arabie Saoudite, l'Iran et les États-Unis. Les moyens les plus couramment utilisés sont la pendaison, l'électrocution ou l'injection létale*.

Les arguments en faveur de la peine de mort

L'argument essentiel des partisans de la peine de mort est son supposé effet dissuasif. Ils estiment en effet que les criminels potentiels seront dissuadés de commettre leur forfait s'ils savent qu'ils risquent la peine de mort. En réalité, aucune étude scientifique n'a pu apporter la preuve que la peine de mort a un effet dissuasif plus important que la réclusion à perpétuité. En outre, certains pays comme le Canada, par exemple, qui ont aboli la peine de mort, ont vu leur taux de criminalité

historique | définitions | tour du monde des violations

continuer à diminuer. Les partisans de la peine
capitale pensent en outre que la réclusion à perpétuité constitue un châtiment encore plus cruel et
barbare que la mort.

Les arguments contre la peine de mort

Un des arguments en faveur de l'abolition de la
peine de mort est le risque d'erreur judiciaire. Avec
la peine de mort, aucun retour en arrière n'est
possible, et la personne exécutée ne peut être
physiquement réhabilitée. Or le risque de condam-
ner un innocent existe toujours. Aux États-Unis,
on a reconnu une centaine d'erreurs judiciaires en
trente ans, sauvant ainsi in extremis les condamnés
du couloir de la mort. D'autres, pourtant, ont été
exécutés alors que subsistaient de sérieux doutes
sur leur réelle culpabilité.

Pour les abolitionnistes, la peine de mort constitue
surtout un châtiment cruel et inhumain.

La peine de mort appliquée aux enfants

Certains États, comme les États-Unis, l'Iran ou
l'Arabie Saoudite pratiquent également la peine de
mort à l'encontre des mineurs de moins de 18 ans.
Si ces exécutions sont peu nombreuses par rapport
au chiffre global des exécutions recensées dans le
monde, elles continuent néanmoins d'être pratiquées. Les pays qui l'appliquent le font dans la plupart des cas en violation des conventions internationales qu'ils ont ratifiées.

> Aujourd'hui,
> plus de la moitié
> des États de
> notre planète ne
> pratiquent plus
> la peine de mort.
> Néanmoins,
> de nombreuses
> personnes sont
> encore exécutées
> tous les ans
> malgré le risque
> d'erreur
> judiciaire.

principaux
acteurs | combats et enjeux
de demain | approfondir   **Les droits de l'homme** 29

La torture

Loin d'être l'apanage des dictatures militaires ou des régimes autoritaires, la torture sévit aussi dans des pays où règne la démocratie. Nul n'est à l'abri des mauvais traitements.

Le châtiment corporel légalisé

31 pays prévoient encore des châtiments corporels dans leur législation. Des coups de fouet au marquage au fer rouge, en passant par l'amputation ou la lapidation, tous peuvent occasionner des lésions durables ou définitives.

La torture aujourd'hui

Malgré son interdiction par la législation de la quasi-totalité des pays de la planète, la torture est encore pratiquée régulièrement dans près de 70 États, et on la recense dans plus du double. Les victimes peuvent être aussi bien des prisonniers d'opinion, des opposants, que des personnes arrêtées pour des infractions de droit commun. La torture concerne aussi bien les hommes que les femmes et les enfants. En Europe et aux États-Unis, les victimes de brutalités de la part des forces de l'ordre sont très souvent des Noirs ou des membres de minorités, des Tsiganes par exemple. On constate également des actes de torture commis à l'encontre de personnes homosexuelles, bisexuelles ou transsexuelles.

Les méthodes de torture

Le passage à tabac est la forme de mauvais traitements la plus courante. Cependant, le viol et les violences sexuelles sont également répandus, surtout à l'encontre des femmes et des enfants. Selon Amnesty International, parmi les méthodes les plus utilisées, on trouve la torture à l'électricité (signalée dans plus de 40 pays), la torture par suspension (dans plus de 40 pays), les coups sur la plante des pieds (dans plus de 30 pays), l'asphyxie partielle (dans plus de 30 pays), les simulacres d'exécution ou les menaces de mort (dans plus de 50 pays) et l'isolement cellulaire prolongé (dans plus de 50 pays).

Soltan Ahmed, combattant de l'Alliance du Nord, a été captif durant 5 ans sous le régime taliban. Il montre ici comment les talibans torturaient leurs prisonniers en les plaçant sous « cloche ».

historique | définitions | tour du monde des violation

L'impunité des tortionnaires

Les tortionnaires sont la plupart du temps des agents d'État, qui profitent de leur position de supériorité pour commettre des actes de torture. Il peut également s'agir de particuliers, qui agissent alors le plus souvent par racisme. Leur point commun est qu'ils se sentent à l'abri de toute poursuite pour les actes qu'ils ont commis. En effet, l'impunité* est la règle pour les tortionnaires dans de nombreux pays, en raison principalement de l'inefficacité ou de la complicité des services normalement chargés de les poursuivre. Pourtant, depuis l'affaire Pinochet, la peur commence à changer de camp. L'arrestation de l'ancien dictateur chilien lors d'un de ses séjours à Londres, en 1999, même s'il a finalement été autorisé à rentrer dans son pays, a redonné un formidable espoir à toutes les victimes de tortures dans le monde. Les puissants n'étaient plus intouchables ! En effet, les mécanismes juridiques contenus dans la Convention contre la torture adoptée à New York en 1984 permettent à un État de poursuivre les personnes accusées de torture et, s'il existe des preuves suffisantes, de les traduire en justice, même s'il s'agit d'étrangers. C'est ce qu'on appelle le mécanisme de compétence universelle.

Tous coupables

Parmi les États qui élaborent, mettent au point et fabriquent les instruments de torture exportés ensuite dans le monde entier figurent les cinq membres permanents du Conseil de sécurité des Nations unies, à savoir les États-Unis, la Chine, la Russie, la Grande-Bretagne et la France.

Peut-on justifier la torture ?

Certains tortionnaires invoquent la nécessité de torturer pour obtenir des aveux ou des renseignements importants pour la sécurité de leur pays. C'est par exemple l'argument employé par certains officiers français lors de la guerre d'Algérie, qui voulaient obtenir des informations sur la localisation des bombes posées par le FLN. Pourtant, cet argument du « moindre mal » n'est pas acceptable. Outre que de nombreuses études ont démontré que les confessions obtenues sous la contrainte et la violence physique étaient rarement fiables, la torture est en soi un acte dégradant, pour la victime comme pour son tortionnaire, et contraire à la dignité humaine.

Malgré son interdiction absolue, la torture est toujours pratiquée un peu partout dans le monde et continue à faire des ravages.

Les disparitions forcées

La pratique des disparitions forcées est particulièrement cruelle. Elle agit à un double niveau : sur la victime, bien sûr, mais également sur sa famille, plongée dans les affres de l'incertitude.

Comment saisir le groupe de travail des Nations unies ?

Les renseignements peuvent être communiqués par écrit au Groupe de travail sur les disparitions forcées :
Haut-Commissariat aux droits de l'homme
Organisation des Nations unies
1211 Genève 10,
Suisse.

Qu'est-ce qu'une disparition forcée ?

Selon la définition adoptée par l'ONU, on parle de disparition forcée lorsque des personnes sont arrêtées, détenues ou enlevées contre leur volonté par des agents qui refusent ensuite de révéler le sort réservé à ces personnes, les soustrayant ainsi à la protection de la loi. Devant la gravité et l'ampleur du phénomène des disparitions, les Nations unies ont décidé de créer en 1980 un groupe de travail spécifique pour étudier ce problème. Depuis sa création, celui-ci a traité près de 50 000 cas individuels touchant plus de 70 pays, dont très peu ont pu être élucidés.

La souffrance des familles

On n'a longtemps retenu que la souffrance des personnes disparues, qui le plus souvent subissaient tortures et mauvais traitements tout en sachant qu'elles avaient peu de chances d'être secourues. Mais la famille et les amis de ces personnes endurent une autre forme de torture, morale cette fois, puisqu'ils n'ont aucun moyen de savoir si leur proche est encore en vie, l'endroit où il est détenu, dans quelles conditions et dans quel état de santé. De plus, ils se sentent souvent eux aussi menacés, potentiellement exposés au même sort et très fréquemment dissuadés de rechercher la vérité. Leur désarroi est généralement alourdi par les difficultés matérielles qu'entraîne la disparition. Dans bien des cas, c'est la personne disparue qui était le pilier de la famille et son principal soutien financier. C'est pour toutes ces raisons que le droit international reconnaît

Un crime contre l'humanité

Le statut de la Cour pénale internationale cite explicitement les disparitions forcées au nombre des crimes contre l'humanité* si elles sont pratiquées de manière généralisée ou systématique.

historique | définitions | tour du monde des violations

aujourd'hui que les familles des personnes disparues subissent en tant que telles des tortures morales et qu'elles constituent elles aussi des victimes à part entière.

Un crime continu

La disparition présente une particularité juridique qui peut être utile dans les cas où les familles des personnes disparues décident de se porter devant les tribunaux. En effet, la disparition est considérée comme un crime continu dans la mesure où la famille n'a pas connaissance du sort réservé à son parent. Ainsi, le crime de disparition est imprescriptible* tant que la victime ou son corps ne sont pas retrouvés. Les auteurs de tels crimes peuvent donc toujours être poursuivis sans que le temps joue en leur faveur.

Une pratique encore d'actualité

Les dictatures militaires d'Amérique latine ont, dans les années 1970 et 1980, fait disparaître des milliers d'opposants, notamment en Argentine et au Chili. Ce phénomène a pris une telle ampleur qu'il a engendré le fameux mouvement des « mères de la place de Mai ». Dès le mois d'avril 1977, 14 femmes, désespérées de rester sans nouvelles de leurs enfants disparus, se rencontrent sur la place de Mai, à Buenos Aires, face au palais présidentiel, pour présenter leur requête au président Videla. Le mouvement a perduré et un rassemblement est encore organisé tous les jeudis sur cette même place. Mais aujourd'hui, ce sont sans conteste l'Algérie et la Tchétchénie qui détiennent la « palme » de cette pratique. Prétextant toutes deux la lutte contre le terrorisme, bien réel par ailleurs, Alger et Moscou se sont employés ces dernières années à semer la terreur en arrêtant arbitrairement des hommes et des femmes qui sont ensuite conduits dans des lieux où toute preuve de leur passage semble effacée à jamais.

Un couple chilien, Guilermo et Elisa Cornejo Campos, montrant la photo de leur fils Raul, disparu au Chili en 1976. Le couple s'est réfugié en Allemagne après avoir été arrêté et torturé dans les années 1970. Ils ont lancé une procédure contre le dictateur Augusto Pinochet, responsable de ces milliers de « disparitions ».

La disparition forcée est une notion complexe qui comprend plusieurs crimes distincts. Elle laisse les familles dans une telle situation de détresse qu'on leur reconnaît le statut de victimes de tortures morales…

Les droits de l'enfant

Alors que la fragilité des enfants aurait dû conduire à les protéger depuis longtemps, la consécration de droits qui leur soient spécifiques est intervenue bien tardivement...

L'exploitation sexuelle des enfants

Plusieurs millions d'enfants et d'adolescents sont forcés de se prostituer à travers le monde ou sont utilisés pour faire des photos et des films pornographiques.

Des droits de l'homme aux droits de l'enfant

Les philosophes du XVIIIe siècle et la Révolution française ont changé radicalement notre façon de considérer les enfants. De quasi « objets » sur lesquels les pères ont la plupart du temps droit de vie ou de mort, ils deviennent des êtres à part entière et obtiennent en premier lieu le droit à l'éducation. Si certains droits qui concernent les enfants figurent dans la Déclaration des droits de l'homme et du citoyen de 1789, il faudra attendre le 20 novembre 1989 pour qu'une Convention internationale des droits de l'enfant voie enfin le jour !

Le « défenseur des enfants »

En France, la loi du 6 mars 2000 a institué un « défenseur des enfants ». Il peut être saisi directement par les enfants eux-mêmes. Ses coordonnées : Défenseur des enfants 85, bd du Montparnasse, 75006 Paris, tél. : 01 53 86 15 50.

Le travail des enfants

Trop souvent, les enfants sont obligés de travailler, malgré leur jeune âge, pour des raisons économiques. L'Organisation internationale du travail (OIT) estime à 250 millions le nombre d'enfants âgés de 5 à 14 ans qui travaillent. Les régions les plus touchées par ce phénomène sont l'Asie et l'Afrique. En Afrique, 41 % de l'ensemble des enfants de 5 à 14 ans travaillent, contre 22 % en Asie et 17 % en Amérique latine. Ce travail forcé a des conséquences graves sur leur santé et sur leur avenir, puisqu'en travaillant ils ne peuvent plus fréquenter l'école. Des campagnes de boycott ont été lancées contre les produits issus du travail des enfants, mais il est nécessaire alors d'accompagner les entreprises qui « libèrent » ces enfants, sous peine de les voir se tourner vers d'autres métiers, parfois plus dangereux, dans le but de continuer à subvenir aux besoins de leurs familles.

> **119**
> En France, pour les enfants victimes de mauvais traitements, composez le 119 !

historique | définitions | tour du mo des violati

Les enfants et la guerre

Les enfants sont souvent les premières victimes de la guerre. S'ils sont parfois visés en tant que tels, c'est surtout la destruction de leurs foyers, des écoles et des villages qui leur occasionne de sérieux préjudices. En outre, près de 300 000 enfants dans le monde participent directement aux conflits en tant que soldats. Certains n'ont pas plus de 8 ans ! Ces « enfants soldats » sont parfois drogués pour devenir insensibles à la peur et à la violence des combats. Malgré l'interdiction en droit international d'y recourir, le nombre de pays qui utilisent des « enfants soldats » a considérablement augmenté ces dernières années. En décembre 2002, l'ONU recensait plus de trente États qui continuent à recruter et à utiliser des enfants soldats. D'après l'Unicef, c'est plus de 300 000 enfants qui combattent encore activement. Dans les dix dernières années, on estime que 2 millions de jeunes de moins de 18 ans sont morts dans des guerres.

Enfant soldat appartenant à la minorité Karen (frontière de la Thaïlande et du Myanmar), 2002.

La situation en France

Durant des siècles, les enfants travaillaient dès leur plus jeune âge, employés aux champs ou comme apprentis pour aider leurs parents. Au XIXe siècle, beaucoup de jeunes enfants étaient envoyés dans les mines. Leur petit gabarit leur permettait de se faufiler dans les galeries étroites. Leur travail était très dangereux et les accidents nombreux. Ainsi, en 1861, un accident est survenu dans une mine de Béthune, occasionnant dix-huit morts. Sept d'entre eux étaient des enfants, dont certains avaient juste 9 ans. Aujourd'hui, le travail des enfants est interdit en France avant l'âge de 16 ans. De nombreux efforts restent cependant à faire pour une protection réelle de l'enfance, notamment dans le domaine de la maltraitance ou de la délinquance. On estime ainsi que, chaque année en France, 50 000 enfants sont maltraités, et que 300 à 600 d'entre eux meurent des violences qu'ils ont subies.

> En raison de leur extrême vulnérabilité, les enfants méritent une attention et une protection particulières. Ils sont confrontés à toutes sortes de dangers, en raison notamment de la misère ou de la guerre.

Les droits de la femme

Le combat des féministes est essentiel pour la majorité des femmes dans le monde, aujourd'hui encore victimes d'une discrimination parfois violente.

À la conquête des droits de la femme

L'inégalité des droits entre la femme et l'homme est une constante de presque toutes les sociétés, et ce depuis le début de l'humanité. Mais la reconnaissance des droits des femmes connaît des évolutions différentes. Il en est ainsi de l'octroi du droit de vote aux femmes : s'il a été accordé dès 1863 en Suède, et au début du XXe siècle dans les pays anglo-saxons, grâce aux mouvements des suffragettes*, il faudra attendre la loi du 2 novembre 1945 pour que les femmes puissent voter en France. C'est d'ailleurs après la Seconde Guerre mondiale que le mouvement pour les droits de la femme se concrétise, par le biais notamment des Nations unies, qui instituent dès juin 1946 une Commission de la condition de la femme. Cette Commission sera à l'origine des principaux textes consacrés à la promotion et au respect des droits de la femme, comme la Convention sur les droits politiques de 1952, ou encore la Déclaration puis la Convention sur l'élimination de la discrimination à l'égard des femmes, adoptées respectivement en 1967 et en 1979 par l'Assemblée générale des Nations unies. Aujourd'hui, même dans les sociétés occidentales où la parité* entre les hommes et les femmes est affirmée, il existe toujours des discriminations importantes, notamment en termes de carrières professionnelles ou de salaires.

historique   définitions   tour du mon des violatio

Les violences contre les femmes

Selon des statistiques de la Banque mondiale, une femme sur cinq est ou a été victime de violences physiques ou d'agressions sexuelles. Les auteurs de ces violences sont le plus souvent des membres de la famille des victimes, de leur communauté, ou encore leurs employeurs. La violence domestique est un phénomène généralisé. Selon des rapports officiels, une femme est battue toutes les 15 secondes aux États-Unis. En France, d'après le ministère de l'Intérieur, trois femmes meurent tous les 15 jours du fait de violences masculines domestiques. En Inde, c'est plus de 40 % des femmes mariées qui affirment être frappées par leur mari.

Les mutilations génitales*

D'après l'Unicef, entre 100 et 130 millions de femmes ont subi des mutilations génitales quand elles étaient petites. Chaque année, quelque 2 millions de fillettes en seront les prochaines victimes si rien ne change.

Les crimes d'honneur

Dans certains pays, comme par exemple l'Irak, la Jordanie, le Pakistan ou la Turquie, les femmes sont confrontées au phénomène des « crimes d'honneur », qui peuvent aller jusqu'à la torture ou l'homicide. Des femmes ou des fillettes sont accusées d'avoir « déshonoré » leur famille ou leur communauté. Certaines n'ont fait que bavarder avec un voisin… Pour avoir osé s'habiller à l'occidentale, ou refusé une demande en mariage, des femmes ont été défigurées au vitriol. Au Bangladesh, 988 victimes d'attaques à l'acide ont été recensées en trois ans, de 1999 à 2002, dont les auteurs restent le plus souvent impunis.

Les femmes victimes de la guerre

Dans le passé, les femmes semblaient bénéficier d'une certaine sécurité, même en temps de conflit armé, du fait de leur statut d'épouse ou de mère. Les choses ont changé puisqu'elles sont maintenant fréquemment prises pour cibles comme « butin de guerre » ou dans le but d'humilier et de soumettre la communauté à laquelle elles appartiennent.

Si le droit de vote a été une conquête importante dans le combat pour les droits des femmes, il reste beaucoup à faire pour une population féminine qui reste souvent confrontée à la discrimination et aux violences quotidiennes…

La liberté d'expression

Sans liberté d'expression, il n'y a pas de démocratie possible. La liberté d'expression est un bon baromètre de l'état de toutes les autres libertés.

La conquête du droit d'expression

Liberté d'expression et liberté de la presse vont de pair. Elles commencent à être revendiquées à partir du XVIIe siècle. La célèbre phrase de Voltaire, « *Je ne suis pas d'accord avec ce que vous dites, mais je me battrai pour que vous puissiez le dire* », résume bien ce qu'est la liberté d'expression. En France, c'est la Déclaration des droits de l'homme et du citoyen de 1789 qui, pour la première fois, proclame la liberté d'expression. Mais l'instauration de la Terreur en 1796, puis l'Empire et la Restauration rendent ce droit pratiquement inexistant. Ce n'est qu'à la fin du XIXe siècle, avec la IIIe République que la liberté d'expression reprendra toute sa place avec l'adoption en 1881 d'une loi sur la presse qui régit aujourd'hui encore les médias de l'Hexagone.

Une liberté sous surveillance

Si la liberté d'expression est aujourd'hui un droit consacré par tous les grands textes internationaux, elle est également systématiquement limitée, au nom de la moralité ou de l'ordre public, ou encore de la sécurité nationale. Or l'interprétation de ces notions par certains pays peu scrupuleux en matière de droits de l'homme pose de graves problèmes. C'est en effet au nom de l'ordre public ou de la sécurité nationale que des États comme la Tunisie, la Turquie ou la Chine musellent la presse et jettent en prison les journalistes et plus généralement toute personne qui ose émettre un propos dissident. C'est le cas également à Cuba, où, le 18 mars 2003, les autorités ont arrêté près de 80 opposants, dont 26 journalistes indépendants, et les ont condamnés à des peines allant de 6 à 28 ans de prison.

« *Rien n'est sacré. Aucune idée, aucune opinion, aucune croyance ne doit échapper à la critique, à la dérision, au ridicule, à l'humour, à la parodie, à la caricature, à la contrefaçon.* » Raoul Vaneigem, philosophe, leader du mouvement situationniste des années 1960, *Déclaration de l'être humain*, Le Cherche midi éditeur, 2001.

historique | définitions | tour du mon des violation

La censure dans les démocraties

En France, la loi interdit les propos racistes, antisémites ou négationnistes. Au nom de la morale ou des bons sentiments, on a criminalisé certaines opinions. Cette pratique ne devrait pas être acceptée dans une démocratie. Tout devrait pouvoir être discuté, et les idées les plus choquantes, les plus monstrueuses doivent pouvoir être débattues pour être mieux combattues. Les seules limites acceptables à la liberté d'expression sont les appels à la violence et les attaques *ad hominem*. Aux États-Unis, le premier amendement fait de la liberté d'expression et de la presse un véritable bastion. Si la France protège la liberté d'expression comme un droit constitutionnel directement limité par la loi, la Constitution américaine, elle, interdit tout simplement à la loi de limiter la liberté d'expression.

La liberté de la presse

Plus d'un tiers de la population mondiale vit dans un pays où il n'existe aucune liberté de la presse. Près de la moitié des États qui siègent aux Nations unies violent ainsi quasi quotidiennement les engagements qu'ils ont pourtant pris en matière de libre circulation de l'information. Parmi les prédateurs de la liberté de la presse, on ne compte pas que des États, mais également des guérillas, des groupes indépendantistes, des mafias, des barons de la drogue ou encore des représentants de puissants groupes économiques. Selon l'organisation Reporters sans frontières, plus de 500 journalistes ont été tués au cours des dix dernières années pour avoir tenté de faire leur métier. Et cela dans une quasi-impunité* : dans plus de 90 % de ces affaires, personne n'a jamais été inquiété, les responsables de ces assassinats étant des proches du pouvoir ou des hommes du pouvoir lui-même.

Les médias de la haine

Lors du génocide au Rwanda, certains médias ont directement participé aux massacres en appelant aux meurtres des Tutsis ou des Hutus modérés. On les a baptisés les « médias de la haine ».

> Le respect de la liberté d'expression est la véritable jauge d'une démocratie. Quand un État veut s'en prendre aux libertés, c'est toujours par la liberté d'expression qu'il commence.

La liberté de conscience

Le principe selon lequel personne ne doit être contraint de sacrifier ses convictions profondes constitue l'essence même de la liberté de conscience. Malheureusement, il souffre de nombreuses exceptions...

Une liberté sans cesse remise en cause

Les attentats commis le 11 septembre 2001 contre les tours du World Trade Center à New York l'ont été au nom d'un islamisme fanatique.

Catholiques et protestants continuent de s'affronter en Irlande. Les « fous de Dieu » font régner la terreur à coups de bombes meurtrières.

Mais ce phénomène n'est pas récent.

L'Inquisition

L'idée d'inquisition est presque aussi ancienne que l'Église elle-même. Souvent synonyme d'intolérance et de cruauté, l'inquisition est d'abord un tribunal ecclésiastique : c'est l'Inquisition pontificale. Créé en 1229, ce tribunal s'appliquait à tous ceux qui apparaissaient comme une menace pour la foi, tels les cathares, les sorciers et les devins. En France, sa portée a considérablement diminué dès la fin du XIVe siècle. En Espagne, au contraire, où l'Inquisition constitue davantage une institution politique, son importance redouble. Le 1er novembre 1498, un nouveau tribunal inquisitorial est créé pour

historique | définitions | tour du mon des violatio

rechercher les « mauvais chrétiens ». Il s'agissait la plupart du temps de lutter contre les juifs et les musulmans convertis mais qui continuaient à pratiquer leur religion en secret.

L'édit de Nantes

Le 13 avril 1598, l'édit de Nantes accorde en France la liberté de conscience aux protestants. Il met un terme à près de quarante années de guerre qui ont déchiré le royaume et dont l'épisode le plus marquant est sans conteste la Saint-Barthélemy, en août 1572. Le bilan des massacres commis durant ces quelques jours d'été reste incertain, faute de documents, mais certains historiens parlent de milliers de morts.

La séparation de la religion et de l'État

C'est la condition pour que la pratique d'une religion demeure libre et ne relève que du seul domaine privé propre à chaque individu. Il existe encore dans le monde de nombreux États religieux, comme l'Iran ou l'Arabie Saoudite. Les libertés fondamentales* y sont rarement respectées. En France, la séparation de l'Église et de l'État remonte à l'entrée en vigueur de la loi du 9 décembre 1905, qui prévoit notamment la confiscation des biens de l'Église et la suppression de tout salaire de la part de l'État aux ministres du culte. Elle rend aussi illégale toute discrimination fondée sur la foi.

Les sectes

Pour avoir attiré l'attention médiatique à plusieurs reprises, le plus souvent par des événements dramatiques – on se souvient du suicide collectif en France des membres de la secte du Temple solaire en décembre 1995, ou encore la dispersion d'un gaz mortel dans le métro de Tokyo, au Japon, par les adeptes de la secte Aum Shinrikyo –, les sectes font l'objet d'une politique de méfiance accrue ces dernières années.

Pas de liberté de conscience sans le droit de pratiquer la religion de son choix. Cette évidence n'est pourtant pas toujours pas respectée aujourd'hui. Les exemples d'intolérance fourmillent.

Les organisations intergouvernementales

Les organisations internationales censées combattre les violations des droits de l'homme dans le monde sont légion. Mais pour quelle efficacité ?

L'ONU et ses instances spécialisées

La protection des droits de l'homme a toujours été une priorité des Nations unies, même si dans les faits la mauvaise foi de certains États membres et les pesanteurs de la structure ont pour conséquence une efficacité mitigée... L'ONU s'est dotée de structures spécifiques aux droits de l'homme, parmi lesquelles une commission dans laquelle siègent cinquante-trois États et qui, par le jeu des représentations géographiques, a élu en janvier 2003 la Libye à sa présidence ! Une élection qui risque malheureusement de faire perdre à cette instance le peu de légitimité qui lui restait. Néanmoins, on ne peut nier le rôle important qu'ont eu les Nations unies dans l'adoption d'instruments, de conventions et de traités internationaux relatifs à la protection des droits de l'homme. Parallèlement à l'ONU, de nombreuses organisations régionales ont vu le jour.

Le Conseil de l'Europe

Le Conseil de l'Europe, la plus ancienne organisation intergouvernementale européenne, a été créé en 1949 par dix États. Il en compte aujourd'hui quarante-trois. Il est complètement indépendant de l'Union européenne, avec laquelle il coopère cependant régulièrement dans ses domaines de compétence. Le Conseil de l'Europe a notamment pour mission la protection des droits de l'homme et le renforcement de la démocratie. En 1953, il s'est doté d'une

Les droits de l'homme dans le monde arabe
Le monde arabe s'est lui aussi doté de plusieurs textes relatifs aux droits de l'homme, mais ils sont confessionnels et font tous référence au Coran et à la charia, ce qui restreint considérablement l'exercice de certaines libertés, dans le domaine des droits des femmes notamment.

historique   définitions   tour du monde des violations

Convention européenne des droits de l'homme qui a institué une procédure juridique, à l'époque unique au monde, permettant à un particulier de porter plainte devant la Cour européenne des droits de l'homme contre un État s'il s'estime victime d'une violation de la Convention.

L'Organisation des États américains

Le 30 avril 1948, vingt et un États américains se sont réunis à Bogota (Colombie) pour adopter la charte de l'Organisation des États américains (OEA) et la Déclaration américaine des droits et devoirs de l'homme. Depuis lors, les Caraïbes et le Canada se sont joints à l'OEA. En 1959, l'organisation américaine crée la Commission interaméricaine des droits de l'homme, qui joue un rôle majeur dans la lutte contre les régimes répressifs du continent et continue d'assurer des voies de recours aux citoyens victimes de violations des droits de l'homme.

L'Organisation de l'unité africaine

Plus tardivement, du fait de la décolonisation*, on assiste à la naissance de l'Organisation de l'unité africaine (OUA). Créée en 1963, elle siège à Addis-Abeba, en Éthiopie. Elle s'est depuis transformée en « Union africaine » en juillet 2001. L'OUA vise à promouvoir la coopération entre les États africains dans le respect de l'intangibilité des frontières héritées de la colonisation. Le 27 juin 1981, ses États membres adoptent la Charte africaine des droits de l'homme et des peuples, qui, malgré ses lacunes, constitue un apport fondamental au développement du droit africain. Elle s'est dotée d'une Commission qui peut recevoir des communications émanant des États faisant partie de la Charte, ainsi que de personnes individuelles ou de groupes de personnes. Cette commission, au contraire de la Cour européenne, n'a pas de valeur juridictionnelle et n'a jamais pu démontrer son efficacité.

Pékin et les droits de l'homme

Depuis 1990, la Chine a présenté tous les ans (sauf en 1995) à la Commission des droits de l'homme de l'ONU une motion de « non-action » qui interdit la mise au vote des résolutions qui pourraient la critiquer. Pékin a ainsi systématiquement échappé à toute condamnation des Nations unies !

À la suite de la Seconde Guerre mondiale, de nombreuses institutions intergouvernementales de défense des droits de l'homme se sont mises en place. Les droits de l'homme ont ainsi pu bénéficier d'une protection juridique au niveau international et régional.

Les organisations non gouvernementales

Le nombre d'organisations non gouvernementales dans le domaine des droits de l'homme est en augmentation constante. Qu'elles soient nationales, régionales ou internationales, qu'elles soient généralistes ou thématiques, on y rencontre le meilleur comme le pire.

Qu'est-ce qu'une ONG ?

Les organisations non gouvernementales – ONG pour les initiés – peuvent être locales, nationales, régionales ou internationales. Leur point commun est qu'elles sont normalement indépendantes des gouvernements et qu'elles travaillent le plus souvent dans un but non lucratif. Le droit de créer une association est régi par des dispositions différentes selon les pays. Certains sont très pointilleux et soumettent la création d'une organisation à un régime d'autorisation ou de contrôle préalable, comme en Tunisie. D'autres, plus tolérants, pratiquent un régime déclaratif assez peu contraignant puisqu'il s'agit seulement dans ce cas d'en informer les autorités administratives. C'est le cas de la France. Dans d'autres pays, encore, comme la Suisse, l'existence de statuts écrits équivaut à donner une existence juridique à la structure. Les organisations de défense des droits de l'homme œuvrent au quotidien pour la défense des libertés fondamentales* : elles enquêtent, protègent, alertent ou dénoncent les violations des droits de l'homme dont elles sont les témoins.

Les obstacles

Les ONG de défense des droits de l'homme sont parfois la cible, notamment dans les pays totalitaires, d'une féroce répression. Assimilées à des organisations d'opposition politique, elles sont victimes d'attaques

Répression en Algérie

En juin 1985, le président de la Ligue algérienne de défense des droits de l'homme est arrêté. Il sera détenu pendant onze mois, puis placé en résidence surveillée. Durant cette période, une nouvelle ligue verra le jour avec la bénédiction du pouvoir.

historique | définitions | tour du monde des violation

allant de l'interdiction, de l'arrestation ou de l'intimidation de leurs membres à l'infiltration de la structure. Certains gouvernements n'hésitent pas à créer d'autres

organisations, qu'ils contrôlent alors complètement et qui donneront des renseignements ou informations complaisantes à l'égard du régime qui les a créées : on les surnomme les « GONGOs* ». Le phénomène de répression a pris une telle ampleur ces dernières années que l'ONU a adopté en décembre 1998 une Déclaration sur la protection des défenseurs des droits de l'homme. Deux années plus tard, un représentant spécial sur cette question a même été nommé par l'ONU, en signe de reconnaissance pour l'important travail effectué par les défenseurs des droits de l'homme et les risques qu'ils encourent.

Les principales organisations de défense des droits de l'homme

On ne peut évidemment toutes les citer. Elles sont bien trop nombreuses, même si peu d'entre elles sont généralistes. La plus connue au niveau international est sans aucun doute Amnesty International, créée en 1961, dont le siège est à Londres mais qui possède des sections nationales un peu partout dans le monde. Ses militants s'occupent principalement des prisonniers d'opinion, même si le mandat initial de l'organisation a été élargi depuis aux droits économiques et sociaux, par exemple. Human Rights Watch, organisation américaine qui défend tous les droits de l'homme, est également respectée pour son sérieux et son indépendance. Enfin, on peut citer Reporters sans frontières, dont le mandat se limite à la défense de la liberté de la presse, mais dont l'efficacité en fait l'une des organisations les plus redoutées des régimes peu respectueux de la liberté d'expression.

Le prix Martin Ennals

Du nom du premier secrétaire général d'Amnesty International, ce prix récompense tous les ans depuis 1993 une personne ou une organisation dont le combat contre les violations des droits de l'homme a été « *courageux et remarquable* ».

Les ONG de défense des droits de l'homme jouent un rôle d'alerte, de prévention et de protection des libertés fondamentales. Les régimes autoritaires cherchent souvent à les neutraliser.

Les prix Nobel de la paix

Qui mieux que les lauréats du prix Nobel de la paix peuvent symboliser le combat pour les libertés fondamentales* ? Mais les apparences sont parfois trompeuses...

> **La Suisse : plus grand nombre de prix Nobel par habitant**
>
> Les statistiques démontrent que la Suisse, avec ses vingt lauréats, détient la première place pour le nombre de prix Nobel, toutes catégories confondues, par million d'habitants.

Le prix Nobel de la paix

Chaque année au mois d'octobre, les lauréats du prix Nobel sont désignés. Les prix sont décernés dans plusieurs catégories : la physique, la chimie, la médecine, la littérature, la contribution à la défense de la paix et, depuis 1968, l'économie. Mais le prix Nobel de la paix a toujours occupé une place à part dans l'esprit du grand public. Cette récompense, instituée en 1901, a été attribuée à plus d'une centaine de personnalités ainsi qu'à des organisations, gouvernementales ou non. Les premiers lauréats en ont été Henri Dunant, fondateur de la Croix-Rouge internationale, et Frédéric Passy, fondateur de la Société française pour l'arbitrage entre nations. Certaines années, le prix n'a pas été décerné, ainsi lors des deux guerres mondiales, mais également parce que le Comité d'attribution n'avait pas trouvé de candidat digne, à ses yeux, d'être récompensé.

Des personnalités de renom...

Née le 26 août 1914, celle qui deviendra « mère Teresa » arrive en Inde en janvier 1929. Frappée par la misère qui règne dans les bidonvilles de Calcutta, elle décide de s'y consacrer entièrement. En 1950,

> **Le cumul des prix**
>
> Le Comité international de la Croix-Rouge a obtenu trois fois le prix Nobel de la paix pour son action, en 1917, en 1944 et en 1963.

historique   définitions   tour du monde des violations

elle fonde la Congrégation des missionnaires de la Charité. Elle s'occupe des enfants abandonnés, crée des écoles, parcourt le monde pour encourager les quelque 330 communautés de son ordre réparties sur la planète. La « Sainte des bas-fonds », comme on la surnomme, obtiendra le prix Nobel de la paix en 1979. Martin Luther King est également devenu l'une des plus grandes figures des défenseurs des droits de l'homme et de la paix du XX siècle. Il consacre sa vie au combat en faveur de l'intégration des Noirs dans la société américaine et la reconnaissance de leurs droits civiques et sociaux. Souvent insulté, menacé, parfois arrêté, sa maison dynamitée, il prône sans cesse le recours à la non-violence et organise rassemblements, marches, manifestations pacifistes et campagnes de désobéissance civile. En 1964, il n'a que 36 ans lorsqu'il est récompensé par le prix Nobel de la paix. Il sera assassiné quatre ans plus tard à Memphis, alors qu'il venait soutenir une grève des éboueurs de la ville. D'autres personnalités, non moins glorieuses, mériteraient d'être citées ici. René Cassin, farouche opposant à toutes les guerres, a obtenu le prix Nobel en 1968. Desmond Tutu, qui a mené une lutte courageuse en faveur de l'égalité entre Blancs et Noirs en Afrique du Sud, s'est vu décerner le prix en 1984. On citera enfin le dalaï-lama, prix Nobel en 1989 pour sa recherche d'une solution pacifique dans le conflit et l'occupation du Tibet par la Chine.

... pour quelques noms controversés !

Henry Kissinger, ancien secrétaire d'État américain et prix Nobel de la paix en 1973, est régulièrement mis en cause pour la politique qu'il a menée au Vietnam, au Cambodge, en Indonésie, au Chili et à Chypre. D'autres prix Nobel, comme Mikhaïl Gorbatchev ou Yasser Arafat, ont également été vivement critiqués, en dépit de leurs efforts respectifs pour la fin de la guerre froide et la paix au Proche-Orient. Ils sont suspectés d'avoir commis des violations graves des droits de l'homme.

Certaines grandes figures des droits de l'homme ont profondément marqué l'histoire du XX siècle. Mais les parcours de ces hommes ou de ces femmes ne sont pas toujours irréprochables...

Les ennemis des droits de l'homme

S'il est nécessaire de défendre les droits de l'homme, c'est *a contrario* que certains les nient et les bafouent... Qui sont ces prédateurs des libertés ?

Les grands régimes totalitaires

S'il apparaît nécessaire de les citer à nouveau, c'est qu'ils ont été la cause de plusieurs dizaines de millions de morts. Le fascisme, le nazisme et les régimes communistes ont profondément marqué l'histoire de l'Europe. Ils ont des origines et des points communs. Ces régimes totalitaires sont nés tous les trois dans des périodes de forte crise économique. Ils se sont également tous trois dotés d'un discours idéologique. Ils ont en commun encore un parti unique, qui contrôle tous les moyens d'information. La terreur y est omniprésente et les trois régimes ont eu recours à une police politique qui surveille et réprime tout ce qui paraît contraire à l'idéologie dominante. En conséquence, les droits de l'homme disparaissent purement et simplement sous la férule de ces régimes.

Les dictatures militaires

Elles se rencontrent un peu partout dans le monde, mais c'est sûrement en Amérique latine que les dictatures militaires ont été les plus tragiquement violentes. Des généraux ont été au pouvoir dans la quasi-totalité des pays d'Amérique du Sud et d'Amérique centrale. Pire, ils s'entraidaient pour mieux réprimer leurs opposants ! C'est ainsi qu'ils ont conclu une sorte d'union sacrée afin d'éliminer leurs adversaires politiques et empêcher qu'ils ne trouvent refuge chez leurs voisins... C'est ce qu'on a appelé le plan Condor... Tortures, assassinats,

historique   définitions   tour du monde des violations

détentions illégales, disparitions ont émaillé la vie quotidienne de ceux qui luttaient pour retrouver leurs libertés. La découverte, fin décembre 1992, de deux tonnes d'archives au Paraguay a permis de reconstituer les activités criminelles de ce réseau international. On peut aujourd'hui estimer que le bilan total de ces sinistres dictatures est de l'ordre de 50 000 assassinats, 35 000 disparitions et des centaines de milliers d'arrestations… Les régimes en place ont le plus souvent été soutenus par le monde occidental, toujours prompt en période de guerre froide à voir la main de Moscou derrière les mouvements révolutionnaires qui s'opposaient à ces dictatures militaires.

Les nouveaux ennemis des droits de l'homme

Ils sont aujourd'hui les plus dangereux, car les moins contrôlables : il s'agit essentiellement des groupes paramilitaires ou de guérillas, des narco-trafiquants*, des mafias ou des fondamentalistes religieux ou des particularismes régionaux parfois tout aussi violents.

C'est le nouveau défi que devra relever la communauté internationale : comment combattre ces groupes terroristes qui sèment la désolation au nom de revendications nationalistes ou de convictions religieuses ? En effet, si la mise au ban de la communauté internationale peut constituer un moyen de pression efficace sur certains États, elle n'a que peu d'effets sur ces groupes.

> S'il reste encore de nombreux régimes qui violent au quotidien les libertés de leurs citoyens, le visage des ennemis des droits de l'homme a changé depuis quelques années et rend plus difficile encore le combat pour le respect des droits fondamentaux.

Oussama Ben Laden

Il est recherché pour les attentats d'août 1998 contre les ambassades américaines en Tanzanie et au Kenya. Il est également soupçonné d'être à l'origine des actes de terrorisme perpétrés aux États-Unis en septembre 2001.

La France : patrie des droits de l'homme ?

La France est souvent décrite comme la « patrie des droits de l'homme ». Une réputation qui n'a pas toujours été facile à honorer... Qu'en est-il aujourd'hui ?

La France et la CPI

La France a été à l'initiative de l'article 124 du statut de la Cour pénale internationale, qui empêche pendant sept ans la Cour de juger les éventuels crimes de guerre* commis sur le territoire ou par les ressortissants de l'État qui se prévaut de cette disposition.

Le poids historique de la France

La France n'est certes pas le premier pays à s'être doté d'une déclaration des droits de l'homme, mais c'est la Révolution française qui a insufflé une dimension universelle aux droits fondamentaux proclamés dans la déclaration de 1789. Les révolutionnaires souhaitaient en effet « *exposer, dans une déclaration solennelle, les droits naturels, inaliénables et sacrés de l'homme...* » Cette Déclaration avait donc une dimension et un objectif bien plus larges que d'énoncer les seuls droits des Français : elle visait, plus généralement, les droits de chaque individu, quels que soient sa nationalité ou son statut social. C'est cette démarche qui inspirera notamment le mythe de la France « patrie des droits de l'homme ».

Du mythe à la réalité

Malgré les déclarations de principe, les droits de l'homme n'ont pas été immédiatement appliqués en France, loin s'en faut. Dès 1793, soit moins de quatre années après l'adoption de la Déclaration des droits de l'homme et du citoyen, la période noire de la Terreur a vu se multiplier les exactions et les violations des libertés fondamentales*. Tous les abus étaient permis au nom de la Révolution, niant ainsi purement et simplement le principe même sur lequel se fondait la Déclaration de 1789 : la liberté, et donc le libre choix de l'individu. Par la suite, les lenteurs, les idées préconçues, le poids des archaïsmes n'ont pas permis aux libertés de se développer, dans certains

historique | définitions | tour du mond des violatior

domaines, aussi vite que dans d'autres démocraties occidentales. Si la France, par exemple, a été le premier pays à proclamer et à mettre en œuvre le suffrage universel*, en 1848, il a fallu attendre 1944 pour qu'il soit étendu aux femmes. Sur cette voie, nombre d'États l'avaient devancée.

La France aujourd'hui

Si elle garde toujours cette image flatteuse de démocratie garante et respectueuse des libertés, la France n'en est pas moins aujourd'hui régulièrement mise en cause pour ses manquements aux droits de l'homme. S'agissant de sa politique intérieure, la France se voit régulièrement condamnée par la Cour européenne des droits de l'homme, en raison notamment de dysfonctionnements de la justice. Plus grave, la France a été condamnée en juillet 1999 pour des faits de torture. Ahmed Selmouni, gardé à vue pour trafic de drogue en 1991, avait en effet subi des violences unanimement qualifiées de « *particulièrement graves et cruelles* » par la Cour européenne des droits de l'homme. Si elle reste exceptionnelle pour la France, cette condamnation lui a malheureusement fait rejoindre la Turquie, seul parmi les quarante et un États membres du Conseil de l'Europe à avoir été condamné sur cette base. On parle également très souvent des manquements de la France concernant le droit des étrangers : les lois Pasqua ont été sévèrement critiquées par de nombreuses associations de défense des droits de l'homme, qui estimaient qu'elles étaient contraires à la tradition d'accueil du pays. Par ailleurs, la France est souvent rappelée à l'ordre en ce qui concerne sa politique extérieure : celle-ci est parfois en contradiction avec ses engagements dans le domaine des droits de l'homme lorsqu'elle apporte soutien militaire et économique à des régimes, notamment africains, qui règnent en maîtres absolus et sans partage sur les richesses et les populations de leur pays.

Les contradictions françaises...
Bien qu'elle ait œuvré pour la création du Tribunal international pour l'ex-Yougoslavie, la France lui a refusé pendant longtemps le témoignage de ses officiers qui avaient commandé les Casques bleus en Bosnie et en Croatie.

Figure de proue de la conquête des libertés fondamentales, la réputation de la France peut paraître aujourd'hui quelque peu usurpée quand on considère ses infractions et ses manquements graves au respect des droits de l'homme.

Les droits de l'homme : invention de l'Occident ?

Les droits de l'homme sont universels en ce qu'ils concernent tous les êtres humains, sans distinction. Une conception souvent remise en question, accusée d'être une invention occidentale...

La Déclaration de Vienne

Lors de la Conférence mondiale sur les droits de l'homme qui s'est tenue à Vienne en 1993, les États se sont à nouveau engagés à promouvoir et protéger tous les droits de l'homme, quel que soit leur système politique, économique et culturel.

L'universalité contestée

C'est une conception universelle des droits de l'homme qui a présidé à l'adoption par les Nations unies de la Déclaration de 1948. Depuis, cette conception est fréquemment controversée, le plus souvent accusée d'être un concept purement occidental ou d'avoir été adoptée alors que la plupart des pays du Sud n'avaient pas encore accédé à l'indépendance, d'être en somme une sorte de néocolonialisme. Ainsi, au nom de la diversité culturelle et pour la première fois en 1997, un État, la Malaisie, a publiquement demandé une révision de la Déclaration universelle des droits de l'homme. C'est d'ailleurs souvent au nom des spécificités culturelles ou religieuses que certains droits sont récusés, comme l'égalité entre les hommes et les femmes. Pourtant, se réclamer de l'universalité* des droits de l'homme ne veut pas dire nier les spécificités culturelles. Au contraire, en revendiquant la liberté pour chaque être humain, la Déclaration universelle des droits de l'homme donne à chacun la possibilité de choisir ses croyances et ses convictions. Elle garantit donc le droit à la différence, le droit de préserver la culture ou les traditions dont on est issu.

Au fondement des civilisations

Le fondement des droits de l'homme est la dignité de l'être humain. Elle est d'ailleurs réaffirmée d'emblée dans le premier paragraphe de la Déclaration universelle : « Considérant que la reconnaissance de la dignité

historique   définitions   tour du monde des violations

inhérente à tous les membres de la famille humaine et de leurs droits égaux et inaliénables* constitue le fondement de la liberté, de la justice et de la paix dans le monde… ». Comment, à partir de cette conception que tous les États affirment partager, s'opposer, au nom de valeurs culturelles différentes, au droit à la vie, à l'intégrité physique ou à la liberté d'expression ? En outre, dans la plupart des cas, les États qui aujourd'hui voudraient s'affranchir de leurs obligations en matière de droits de l'homme au nom d'une prétendue spécificité sont les mêmes qui se sont engagés à les respecter en ratifiant librement les conventions internationales de protection des libertés fondamentales*…

« Il n'est pas nécessaire d'expliquer ce que signifient les droits de l'homme à une mère asiatique et à un père africain dont le fils ou la fille a été torturé ou assassiné. Ils le savent malheureusement bien mieux que nous… »
Kofi Annan,
secrétaire général des Nations unies.

L'universalité mise en cause

De façon très pragmatique, il suffit dans la plupart des cas d'examiner la nature des régimes qui s'opposent aujourd'hui à l'universalité des droits de l'homme pour comprendre que ce sont rarement leurs peuples qui la contestent. Les régimes totalitaires ont saisi et brandi l'argument de la spécificité culturelle pour ne pas respecter leurs engagements. À l'opposé, leurs peuples souhaiteraient probablement que soit mis fin à une partie de « leur spécificité », qui consiste à recourir à la torture et aux mauvais traitements, à confisquer le pouvoir, à arrêter des opposants ou à interdire la liberté de parole. Mais, dans ces régimes, on ne demande pas son avis au peuple.

Les démocraties, garantes du respect des droits de l'homme ?

Oui, pour l'essentiel, les démocraties respectent les libertés, et on ne peut en aucun cas comparer les régimes où les exactions sont l'exception et ceux où elles constituent le fondement même d'une politique d'État. Mais certaines dérives existent cependant. Ainsi, dans le camp X-Ray, sur la base américaine de Guantanamo-Bay, 600 personnes capturées durant la guerre contre les talibans attendent toujours d'être inculpées et ne peuvent bénéficier des services d'un avocat.

Si l'universalité des droits de l'homme est accusée d'être un concept purement occidental, force est de constater que les États qui la récusent sont également ceux qui sont le moins respectueux des libertés fondamentales.

Le droit d'ingérence

Nouveau concept né dans les années 1990, le droit d'ingérence va à l'encontre du principe de souveraineté proclamé par tous les États et réaffirmé avec force lors de la décolonisation*.

Protection des populations ou realpolitik ?

Le problème de l'interventionnisme à deux vitesses des États est souvent évoqué : certaines opérations militaires se prétendent humanitaires alors qu'elles ne font que satisfaire des intérêts économiques ou politiques.

Les fondateurs du droit d'ingérence

Bernard Kouchner, homme politique français et fondateur de Médecins sans frontières, et Mario Bettati, professeur de droit international, furent les premiers à promouvoir le droit d'ingérence humanitaire à la fin des années 1980.

Définition

L'ingérence est le fait de s'immiscer dans les affaires intérieures d'un État sans respecter le principe de sa souveraineté. L'ingérence est en principe interdite par l'article 2.7 de la Charte des Nations unies, qui vise théoriquement à préserver l'indépendance des États les plus faibles face aux interventions des plus puissants. Traditionnellement, le débat sur le bien-fondé de l'ingérence ne vise donc que les États. Les organisations internationales, gouvernementales ou non, qui interviennent sur le territoire d'un État en situation de crise le font, elles, en vertu du principe de l'assistance aux victimes. On estime en effet que l'assistance apportée aux populations par des organisations humanitaires n'est pas comparable à une intervention armée d'un État, même si, dans certains cas, les motivations des uns et des autres peuvent se rejoindre. Les organisations de défense des droits de l'homme estiment user d'une certaine forme d'ingérence, puisqu'elles se mêlent de la politique intérieure d'un État en examinant la conformité de ses pratiques avec les engagements qu'il a souscrits en matière de droits de l'homme.

Origines

Le droit international ne connaît qu'une exception à l'interdiction de l'ingérence : elle est prévue au chapitre 7 de la Charte des Nations unies et concerne les cas de menace contre la paix ou la sécurité internationales. C'est alors le Conseil de sécurité qui prend

historique   définitions   tour du mor des violatic

George W. Bush
et Tony Blair à la
conférence de Belfast
le 8 avril 2003.
Discussion concernant
« l'après-guerre »
en Irak.

la décision d'intervenir, le cas échéant par la force, pour rétablir la paix. Il ne faut pas cacher le danger que représente la notion de « droit d'ingérence humanitaire », des États ayant traditionnellement tenté de justifier leur intervention armée par des motifs aussi généreux que la défense des droits de l'homme. Aujourd'hui, le droit international ne légitime plus ces actions si elles sont menées de façon unilatérale par un État. Elles ne peuvent être tolérées ou acceptées que dans le cadre des actions de l'ONU entreprises au nom du maintien ou du rétablissement de la paix et de la sécurité internationales. On a vu avec la guerre en Irak, en 2003, que la coalition anglo-américaine s'était allégrement affranchie de ces contraintes. En passant outre le droit international, et en l'absence d'un véritable contrepoids de la part de l'Europe, les États-Unis ont clairement démontré qu'ils entendaient s'ériger en « gendarme du monde » et faire prévaloir leur conception de la démocratie partout où leurs intérêts le recommanderaient.

Les interventions au nom du droit d'ingérence

La communauté internationale a invoqué le droit d'ingérence pour justifier son intervention en avril 1991 au Kurdistan irakien. Il s'agissait alors de protéger les Kurdes des exactions des autorités irakiennes. Le Conseil de sécurité des Nations unies a invoqué pour justifier l'intervention une « *menace contre la paix et la sécurité internationales* ». C'est pour les mêmes raisons qu'il a également autorisé l'opération « Restore Hope » en Somalie fin 1992 ou les interventions en Bosnie-Herzégovine en 1994 et 1995, au Libéria ou en Sierra Leone en 1997, et plus récemment au Kosovo.

> Le droit d'ingérence a été invoqué à plusieurs reprises à la fin du XXe siècle pour justifier une intervention armée de la communauté internationale et porter secours aux populations menacées. Il impose d'être strictement encadré sous peine de perdre toute sa légitimité.

L'impunité

La lutte contre l'impunité fait partie du combat pour une véritable justice. Elle est de la responsabilité de l'ensemble de la communauté internationale, qui se doit de réprimer les crimes les plus graves.

Définition

L'impunité* est le refus d'enquêter, de poursuivre ou de juger des criminels. Ne jamais être inquiété pour les crimes que l'on a commis contribue au sentiment de toute-puissance que les bourreaux acquièrent peu à peu.

La justice, condition du retour à la paix

La communauté internationale a mis longtemps avant de prendre conscience que la justice était nécessaire au rétablissement de la paix. Il n'est pas acceptable, en effet, de demander à une catégorie de la population qui a subi les crimes les plus odieux de vivre et de croiser au quotidien ses bourreaux. C'est pourtant ce qui s'est passé dans de nombreux États où des lois d'amnistie ont été votées au lendemain de périodes sanglantes par les dirigeants au pouvoir, ceux-là mêmes qui étaient les auteurs ou les commanditaires de ces crimes. D'autres fois, comme en Argentine, ce sont les régimes démocratiques qui ont signé les lois d'amnistie pour des raisons de « concorde civile ». Devant l'horreur des crimes commis, la communauté internationale, pour éviter ces situations d'impunité, a décidé de créer les tribunaux internationaux pour l'ex-Yougoslavie en 1993 et pour le Rwanda en 1994. Ces juridictions internationales ont été mises en place dans le cadre du chapitre 7 de la Charte des Nations unies qui prévoit les mesures nécessaires au maintien et au rétablissement de la paix.

Damoclès : le cauchemar des bourreaux !

Bras judiciaire de Reporters sans frontières, Damoclès a édité un « Guide pratique à l'usage des victimes de crimes internationaux » consultable sur www.damocles.org

---

historique   définitions   tour du mon des violatic

La Cour pénale internationale

Devant les imperfections et les lenteurs de ces deux tribunaux pour l'ex-Yougoslavie et le Rwanda, la communauté internationale a relancé l'idée d'une juridiction pénale permanente qui pourrait juger tous les auteurs de crimes les plus graves. Cette idée était ancienne, puisque les premiers travaux en ce sens ont commencé dès 1951. Ils ont finalement abouti le 17 juillet 1998, lors de l'adoption du statut de la future Cour pénale internationale à Rome par 120 États. Elle est entrée en vigueur le 1er juillet 2002 : elle est compétente pour juger les auteurs des crimes de guerre*, crimes contre l'humanité* et génocides* qui seront commis à partir de cette date. Sa mise en œuvre constitue un formidable pas en avant pour la lutte contre l'impunité. Il faut cependant noter que certains États comme les États-Unis ou la Chine se sont farouchement opposés à l'entrée en vigueur de la Cour et ont refusé d'en ratifier le statut.

Les autres solutions

La création de telles juridictions internationales ne constitue pas pour autant un remède miracle. Certaines situations n'entreront pas dans le champ de compétence de la Cour. C'est pour cela que d'autres mécanismes ont été imaginés, afin de pallier les défaillances et lacunes des tribunaux internationaux. Ainsi, des juridictions mixtes ont été conçues au Cambodge ou en Sierra Leone. Il s'agit de tribunaux nationaux assistés de magistrats internationaux censés être les garants d'une justice impartiale. Des commissions vérité ont également été mises en place, en Afrique du Sud par exemple, pour faire la lumière sur les crimes de l'apartheid.

Enfin, le principe de compétence universelle permet à chaque État de traduire en justice les auteurs des crimes les plus graves, quel que soit le lieu où le crime a été commis et sans égard pour la nationalité des auteurs ou des victimes.

Les limites de la CPI

Au 1er juin 2003, 90 États avaient ratifié le statut de la Cour pénale internationale, acceptant ainsi de se soumettre à sa juridiction. Si elle constitue une formidable avancée, tout n'est pas gagné pour autant : sa compétence n'est pas rétroactive, et elle ne pourra donc jamais connaître des crimes commis avant le 1er juillet 2002. De plus, certains États parmi les plus grandes démocraties, comme les États-Unis, s'y opposent farouchement.

Il n'y a pas de paix sans une véritable justice. Si les modalités de sa mise en œuvre sont variées, toutes tendent à lutter contre l'impunité des criminels.

Glossaire

Clonage : il s'agit de la reproduction d'un individu à l'identique à partir d'une de ses cellules insérée dans un ovule dont le noyau a été supprimé.

Crimes contre l'humanité : les crimes contre l'humanité sont les crimes commis dans le cadre d'une attaque généralisée ou systématique lancée contre une population civile et en connaissance de cette attaque.

Crimes de guerre : le droit international humanitaire protège les victimes des conflits armés et limite les méthodes utilisées pour faire la guerre. Les violations les plus graves du droit humanitaire sont appelées « crimes de guerre ».

Décolonisation : processus par lequel une colonie obtient son indépendance.

Fellaghas : nom donné aux combattants armés en Algérie et en Tunisie qui luttaient pour l'indépendance de leur pays durant l'occupation française.

Génocide : le crime de génocide est commis dans l'intention de détruire en tout ou partie un groupe national, ethnique, racial ou religieux.

Ghetto : c'est le lieu où vit une communauté, séparée du reste de la population.

GONGOs : ce sont des « ONG » entièrement contrôlées par les États. Le terme GONGOs signifie littéralement « organisations non gouvernementales gouvernementales ».

Goulag : camps de travail forcé, les goulags sont devenus le symbole de l'oppression dans l'ex-URSS.

Grâce : la grâce est une mesure de clémence qui a pour effet de soustraire un condamné à l'application de la peine qu'il aurait dû subir.

Imprescriptible : se dit de quelque chose d'irrévocable. Les crimes imprescriptibles sont ceux que l'on pourra toujours poursuivre en justice.

Impunité : c'est l'absence de punition alors qu'un crime a été commis.

Inaliénable : se dit d'un droit ou d'une liberté qu'on ne peut enlever à quelqu'un.

Injection létale : il s'agit de l'injection d'un produit qui provoque la mort, fréquemment utilisée aux États-Unis pour exécuter les détenus condamnés à la peine capitale.

Intifada : guerre des pierres menée par les Palestiniens contre les soldats israéliens dans les territoires occupés par Israël.

Kremlin : pendant longtemps résidence des tsars de Russie, le Kremlin est aujourd'hui la résidence du président de la Fédération de Russie et le siège du gouvernement russe. Son nom symbolise en fait le pouvoir russe.

Libertés fondamentales : elles sont équivalentes aux droits de l'homme. Les deux concepts se recouvrent et désignent

historique   définitions   tour du mond
des violation

l'ensemble des droits et libertés reconnus à l'être humain.

Mondialisation : la mondialisation couvre l'ensemble des productions et des activités qui s'insèrent dans des relations économiques, géostratégiques et politiques.

Mutilations génitales : ablation d'une partie des organes sexuels qui cause une atteinte irréversible à l'intégrité physique. Parmi les mutilations génitales les plus fréquemment pratiquées, on peut citer l'excision et l'infibulation.

Narcotrafiquants : il s'agit de gros trafiquants de drogue.

Népotisme : le terme désigne un régime dans lequel une personne au pouvoir utilise son influence et sa position pour procurer des avantages à ses proches.

OTAN : Organisation du traité de l'Atlantique Nord, créée le 4 avril 1949 à Washington, et qui assure aux Européens l'alliance des États-Unis contre toute agression.

Parité : il s'agit de la répartition égale entre deux groupes : ici, les hommes et les femmes.

Potentat : les potentats désignent les personnes qui possèdent un pouvoir excessif ou absolu.

Ségrégation : séparation de personnes ou de groupes en fonction de la couleur, de la race, de la religion ou des origines sociales.

Shoah : la Shoah est un mot hébreu signifiant « anéantissement ». Il désigne l'extermination de cinq millions de juifs pendant la Seconde Guerre mondiale par les nazis.

Société des Nations : née en 1919 pour le maintien de la paix et le développement de la coopération entre les peuples, cette organisation internationale est l'ancêtre de l'ONU. Elle a disparu officiellement en 1946 après avoir démontré son incapacité à empêcher la Seconde Guerre mondiale.

Suffragettes : le mot est apparu en 1903 pour désigner en Grande-Bretagne les militantes féministes qui se battaient pour obtenir l'égalité politique des deux sexes : le droit de vote, mais aussi celui d'être élue.

Talion : principe qui consiste à infliger à son agresseur le même traitement que celui qu'il vous a fait subir, « Œil pour œil, dent pour dent ».

Tiers état : le tiers état est le nom donné sous l'Ancien Régime à l'ensemble de ceux qui n'appartenaient ni à la noblesse, ni au clergé. Il représentait le peuple mais les serfs n'en faisaient pas partie.

Traite des Noirs : il s'agit de la déportation massive d'Africains vers l'Amérique en tant qu'esclaves, qui a débuté avec les grandes découvertes et n'a cessé qu'à la fin du XIXᵉ siècle.

Universalité : c'est ce qui concerne la totalité des hommes, ce qui s'étend à toute la planète.

Bibliographie

Agi Marc, *René Cassin, père de la Déclaration universelle des droits de l'homme*, Perrin, 1998.
La vie du grand homme, son parcours, ses intuitions et ses rencontres : tout sur les événements qui ont mené René Cassin à recevoir le prix Nobel de la paix.

ABC des Nations unies, Publication des Nations unies, New York, janvier 1994.
Pour ceux qui souhaitent s'informer sur l'Organisation des Nations unies, l'*ABC* permet de mieux comprendre les buts et le fonctionnement interne de cette institution.

Delmas-Marty Mireille et Lucas de Leyssac Claude, *Libertés et droits fondamentaux*, coll. « Points », Seuil, Paris, 2002.
Réunion des multiples textes consacrant les droits fondamentaux, bibliographie complète et commentaires, tout cela très juridique.

Lagelée Guy et Manceron Gilles, *La Conquête mondiale des droits de l'homme*, Le Cherche midi éditeur/éditions UNESCO, septembre 1998.
Ce livre reproduit les textes fondamentaux qui constituent les différentes étapes des progrès de la liberté dans le monde. Présentés dans leur genèse et leur contexte, ils éclairent la notion de droits de l'homme depuis son apparition jusqu'à ses derniers développements, sur la bioéthique, par exemple.

Lochak Danièle, *Les Droits de l'homme*, La Découverte, Paris, 2002.
Petit livre très accessible, l'ouvrage montre que l'existence des droits de l'homme ne va pas de soi et détaille les défis auxquels ils sont sans cesse confrontés.

historique   définitions   tour du mon des violatio

Bibliographie (suite)

PREUSS-LAUSSINOTTE Sylvia,
L'Essentiel des libertés et droits fondamentaux ;
tome 1, *L'Organisation des libertés*,
et tome 2, *Le Régime juridique de chacune des libertés*,
coll. « Les Carrés », Gualino, Paris, septembre 2001.
Un ouvrage qui présente de manière rigoureuse et synthétique
l'ensemble des connaissances indispensables à l'organisation
des libertés fondamentales.

ROUGET Didier, *Le Guide de la protection internationale
des droits de l'homme*, La Pensée sauvage, 2000.
Le guide est un outil pratique qui doit permettre tout particulièrement
aux victimes de découvrir ou mieux connaître l'ensemble des mécanismes
de protection internationale des droits de l'homme.

SERRES Alain, *Le Grand Livre des droits de l'enfant*,
Rue du Monde, 2000.
Organisé autour de 14 grands thèmes, ce livre fait le point
sur la situation des enfants en France et dans le monde.
Très documenté, il présente le texte intégral de la Convention
des droits de l'enfant ainsi qu'un carnet d'adresses.
Un livre de référence pour les enfants et les jeunes à partir de 10 ans.

Adresses utiles

ONU

Organisation des Nations unies
New York, NY 10017
Tél. : (+)1 212 963 12 34
Web : http://www.un.org

Bureau du haut-commissaire pour les droits
de l'homme de l'ONU
8-14, avenue de la Paix
1211 Genève 10 - Suisse
Tél. : (+)41 22 917 90 00
Web : http://www.unhchr.ch

Juridictions internationales :

Tribunal pénal international
pour l'ex-Yougoslavie
PO Box 13888
2501 EW La Haye - Pays-Bas
Web : http://www.icty.org

Tribunal pénal international pour le Rwanda
PO Box 6016
Arusha - Tanzanie
Web : http://www.ictr.org

Cour pénale internationale
Division des services communs
Postbus 19519
2500 CM La Haye - Pays-Bas
Tél. : (+)31 (0)70 515 85 15
Fax : (+)31 (0)70 515 85 55
Web : http://www.icc-cpi.int

Organisation gouvernementale française :

Commission nationale consultative des
droits de l'homme
35, rue Saint-Dominique
75007 Paris - France

Tél. : (+)33 1 42 75 77 13
(+)33 1 42 75 77 06
Fax : (+)33 1 42 75 77 14
Web :
http://www.commission-droits-homme.fr

Organisations non gouvernementales :

Amnesty International
Section française
76, boulevard de la Villette
75940 Paris Cedex 19 - France
Tél. : (+)33 1 53 38 65 65
Web : www.amnesty.asso.fr

Human Rights Watch
350 Fifth Avenue
34th floor
New York
NY 10118 – 3299
Tél. : (+)1 212 290 47 00
Web : http://www.hrw.org

Reporters sans frontières
5, rue Geoffroy-Marie
75009 Paris - France
Tél. : (+)331 44 83 84 84
Web : http://www.rsf.org

Damoclès
5, rue Geoffroy-Marie
75009 Paris - France
Tél. : (+)331 44 83 84 84
Web : http://www.damocles.org

Ligue des droits de l'homme et du citoyen
138, rue Marcadet
75018 Paris - France
Tél. : (+)331 56 55 51 00
Web : http://www.ldh-France.asso.fr

historique   définitions   tour du mon
des violatio

Index

Le numéro de renvoi correspond à la double page.

Crédit photos

p. 3 : © David Turnley / Corbis
p. 4 : © Roger-Viollet
p. 9 : © Harlingue / Roger-Viollet
p. 14 : © Harlingue / Roger-Viollet
p. 16 : © Nobel Fondation / Corbis Sygma
p. 18 : © Marc Garanger / Corbis
p. 24 : © Liba Taylor / Corbis
p. 30 : © Eslami-Rad / Gamma
p. 33 : © Stefan Hesse / AFP
p. 35 : © Pornchai Kittiwongsakul / AFP
p. 45 : © Gerry Penny / AFP
p. 55 : © Stephen Jaffe / AFP

Les erreurs ou omissions involontaires qui auraient pu subsister dans cet ouvrage malgré les soins et les contrôles de l'équipe de rédaction ne sauraient engager la responsabilité de l'éditeur.

© 2003 Éditions MILAN
300, rue Léon-Joulin,
31101 Toulouse Cedex 9 France

ISBN : 2-7459-0426-4
D. L. 3ᵉ trimestre 2003
Aubin Imprimeur, 86240 Ligugé
Imprimé en France